MAGAZINE 특·특·사

특수교사, 특수교육을 사유하다

No. 2

2024 WINTER

특수교육연구회 셋업 지음

목차

집필·편집

독서교육 유닛 책갈피
선정도서 중심으로 다시 보는
발달장애인 독후감 대회
윤현지 (마산서중학교 특수교사)

모두의 미디어: 모미
비판적 미디어 리터러시와 마주한 2023 모미
지정훈 (신림중학교 특수교사)

긍정적행동지원교육 유닛 피클
피클과 함께하는 긍정적 행동지원:
미션으로 함께 우리 교실 PBS 만들기
한경화 (구리중학교 특수교사)
신현경 (홀트학교 특수교사)
김윤정 (당평초등학교 병설유치원 특수교사)
김미래 (신평중학교 특수교사)
방극열 (은평대영학교 특수교사)
전혜지 (반지초등학교 특수교사)

음악교육 유닛
음악이 있는 교실을 위하여 Part.2
전은지 (홀트학교 특수교사)
이지원 (중화중학교 특수교사)
박미선 (산본초등학교 특수교사)
이다요솔 (솔샘초등학교 특수교사)
김하연 (본오초등학교 병설유치원 특수교사)

보완대체의사소통 유닛 너나우리
소통을 통해 너와 나의 연결고리 만들기
김소연 (동백고등학교 특수교사)

클립아트 유닛 팔레트
팔레트가 그린 2023:
모두가 함께하는 교실을 위해
설성정 (청명초등학교 특수교사)

세계시민교육 유닛 모이세
떠나요! 모이세와 함께 제주도
남기화 (평택안일초등학교 특수교사)

장애학스터디 유닛 WITH
2023 Study-log(스터디 로그)
정유진
방극열 (은평대영학교 특수교사)
박현경 (서울휘봉초등학교 특수교사)
김미래 (신평중학교 특수교사)
이희경 (서울봉화초등학교 특수교사)
유진경 (송파구육아종합지원센터 특수교사)
이은지 (도산초등학교 특수교사)
김별 (용인특수교육지원센터 특수교사)
조현영 (아름학교 특수교사)
김솔이 (광주중앙고등학교 특수교사)

그림책 활용 교육 유닛 지그재그
이럴 땐? 이런 그림책!
이미화 (배곧고등학교 특수교사)
이복음 (백암초등학교 특수교사)
권경은 (석문초등학교 특수교사)
주소영 (영천초등학교 특수교사)
김진경 (용당초등학교 특수교사)
이다요솔 (솔샘초등학교 특수교사)
김민지 (상현고등학교 특수교사)
최수임 (어람초등학교 특수교사)
정미숙 (하중초등학교 특수교사)

교육과정 유닛 CU
innig 이니히: 진심으로
박현경 (서울휘봉초등학교 특수교사)
김진경 (용당초등학교 특수교사)
신현경 (홀트학교 특수교사)
이희경 (서울봉화초등학교 특수교사)
전혜지 (반지초등학교 특수교사)
김민지 (상현고등학교 특수교사)
이다요솔 (솔샘초등학교 특수교사)
이다정 (와동중학교 특수교사)
이미화 (배곧고등학교 특수교사)

특수교육연구회 셋업 편집부 셋블리쉬(SET'blish)
정유진
김솔이 (광주중앙고등학교 특수교사)
최효언 (교하고등학교 특수교사)

독서교육 유닛

책갈피

선정도서 중심으로 다시 보는 발달장애인 독후감 대회

선정도서 중심으로 다시 보는 발달장애인 독후감 대회

책갈피 리더 윤현지

독후감 대회에서 가장 중요한 것은 '어떤 책을 선정할 것인가'라고 말해도 과언이 아닐 것이다. 어떤 책을 선정하고 어떻게 독서교육 자료를 제작하여 독후감 대회를 운영할지는 책갈피의 가장 큰 과제이다. 발달장애 학생들이 성장하는 과정에 따라 알맞은 책을 골라주고 책을 읽는 방법을 알려 주며 다양한 책을 읽게 해 주는 등 성인이 되어서 스스로 책을 선택하여 읽고 즐기는 평생독자가 되기까지 특수교사의 도움이 있어야 한다. 발달장애 학생의 읽기 수준과 인지 수준, 생활 연령을 고려한 권장도서 목록조차 없는 현실에서 책갈피가 발달장애인 독후감 대회의 선정도서를 찾고 정하는 일은 매우 어려운 일이면서 매우 중요한 일이다.

우리 학생들이 읽어서는 절대 안 되는 책은 이 세상에 없다. 세상의 모든 책이 좋은 책이라고 할 순 없지만 넘쳐나는 책 중에서 어떤 장르의 책을 내가 좋아하는지, 어떤 내용의 책이 나에게 도움이 되는지, 어떤 수준의 책을 내가 이해할 수 있는지 등을 발달장애인 학생 스스로가 판단할 수 있어야 한다. 그렇게 되기 위해서는 내가 좋아하는 책을 찾을 수 있어야 하고 나에게 도움이 되는 책을 선별할 수 있어야 하며 내가 이해할 수 있는 책과 이해하기 어려운 책을 구분해야 할 것이다. 이러한 이유로 책갈피는 궁극적으로 발달장애인 학생들이 스스로 책을 선택하여 읽을 수 있도록 독후감 대회 선정도서를 통해 학생들에게 다양한 주제의 책을 안내하고 다양한 수준의 책을 골라주어야 한다.

〈표〉는 1회부터 5회까지 발달장애인 독후감 대회의 선정도서 목록을 정리한 것이다. 1회는 느린 학습자를 위해 책을 출판하는 피치마켓의 책 중에서 O.헨리의 3가지 단편소설을 대상으로 했다. 단편소설만을 선정도서로 삼으니 긴 호흡으로 책을 읽는 연습도 필요하다는 생각이 들었고, 일반 교육과정 국어과의 '한 학기 한 권 읽기'에도 활용할 수 있는 책을 찾고자 하였다.

회차	선정도서 목록
1회	『O.헨리 이야기』, 오 헨리, 피치마켓(2017)
2회	『베니스의 상인』, 윌리엄 셰익스피어, 피치마켓(2019)
3회	『토끼와 자라』, 책갈피, 팔레트, 부크크(2021) 『토끼전』, 책갈피, 팔레트, 부크크(2021)
4회	『아낌없이 주는 나무』, 셸 실버스타인, 이재명, 시공주니어(2017) 『꽃들에게 희망을』, 트리나 폴러스, 김석희, 시공주니어(2017) 『눈』, 박웅현, 차승아, 비룡소(2018) 『종이 한 장』, 박정선, 민정영, 비룡소(2008) 『김밥은 왜 김밥이 되었을까?』, 채인선, 최은주, 한림출판사(2010) 『세상에서 가장 힘이 센 말』, 이현정, 이철민, 달달북스(2020)
5회	『모두 다 꽃이야』, 류형선, 이명애, 풀빛(2021) 『말들이 사는 나라』, 윤여림, 최미란, 위즈덤하우스(2019) 『말주머니』, 박가연 외, 정온선, 웅진주니어(2017) 『시계 수리점의 아기 고양이』, 이미례, 차상미, 리틀씨앤톡(2020)

〈표〉 SET UP 발달장애인 독후감 대회 선정도서 목록

그래서 2회는 장편소설 중에서 피치마켓의 『베니스의 상인』을 선정하였다. 피치마켓의 『베니스의 상인』이 파트가 나누어져 있어서 이야기 흐름이 끊기지 않으면서 이야기를 끊어 읽기에 용이했고, 느린 학습자를 위해 고안된 책이라 줄거리의 이해에도 적합하였다. 이러한 장점에도 피치마켓의 『베니스의 상인』은 윌리엄 셰익스피어라는 외국인 작가가 쓴 책을 번안하여 다시 쓴 책이라 보니 어쩔 수 없는 번역어투가 학생들의 집중력을 흐리게 했고, 다른 나라의 문화에 대한 이해나 배경지식이 없는 학생들이 내용을 깊이있게 이해하기에 어려움이 있었다. 책갈피는 2회 독후감 대회를 마치고 우리나라 작가가 우리나라 말로 쓴 책을 선정도서로 하여 학생들이 이야기를 읽고 이해하는 데에만 집중할 수 있도록 하자고 결론을 내렸다.

3회는 책갈피가 직접 책을 출판한 『토끼와 자라』와 『토끼전』을 선정도서로 하였다. 발달장애인을 제일 잘 아는 특수교사가 직접 쓴다면 발달장애 학생의 고유한 특성에 더 적합한 책이 될 것이라고 판단했다. 옛이야기는 이야기 구조가 단순하여 발달장애 학생들이 쉽게 줄거리를 파악할 수 있고 어디에서 한번쯤 들어봤으나 학생들이 제대로 알지 못하는 '구토설화'를 선택하여 학생들의 흥미를 유발할 수 있도록 했다. 『토끼와 자라』는 생활 연령이나 낮거나 읽기 수준, 인지 수준이 낮은 학생들도 쉽게 이해할 수 있도록 고안한 그림책이다. 한 쪽에 5~8문장으로 이야기 줄거리를 서술하고 다음 쪽에는 이야기 줄거리를 그대로 그림으로 옮겨놓았다. 이야기를 이해하는 데 꼭 필요한 어휘는 '그림낱말'이라는 이름으로 그림과 낱말을 같이 배치하였다. 『토끼전』은 이야기를 발단, 전개, 위기, 절정, 결말로 나누어 짧은 문장으로 이야기를 이해할 수 있도록 하였다. 속담이나 관용어구를 이야기 속에 넣어 인지적 도전 요소를 통해 읽는 재미를 놓치지 않도록 하였다. 우리는 학생들을 해당 책으로 직접 가르쳐본 임상적 경험을 바탕으로 우리가 직접 쓴 책의 읽기 효과를 파악했으나 책을 출판하는 데 너무 많은 시간과 노력이 들어서 학생들이 더 다양한 책을 읽도록 하는 데에는 부족함이 있다고 평가했다.

4회에는 일반 교육과정 교과서와 특수교육 교육과정 교과서에 수록된 책을 선정도서로 삼았다. 학생들이 통합교육 교실에서 교과서를 통해 학습한 혹은 학습할 책을 선정함으로써 통합교육 수업에서 자신감을 가질 수 있도록 하고 싶었고, 학생들의 생활 연령이 반영된 책이면서 다른 학생들과 똑같이 배우는 책이라서 해당 책을 읽고 난 성취감이 더 클 것으로 예상했다. 또한 교과서에 수록된 책이다 보니 이미 많은 사람들의 검증을 거친 책이어서 양서인 경우가 많았다. 하지만 '정전'이라고 불리는 양서들은 외국 책인 경우가 많았고 외국 책의 어쩔 수 없는 번역어투는 학생들을 헷갈리게 하고 줄거리를 파악하는 데 걸림돌이 되었다. 우리는 다양한 책을 선정도서로 하되 우리나라 책을 선정하려고 노력했고, 읽을 양, 읽기 수준, 인지 수준이 모두 고려되어 책을 선택할 수 있도록 기회를 제공하고 싶었다.

우리는 5회 발달장애인 독후감 대회의 선정도서를 선정하기 전에 지금까지의 책 선정 과정과 평가, 피드백을 통해 얻은 정보를 토대로 몇 가지 선정 기준을 세웠다.

첫째, 우리나라 사람이 쓴 우리나라 책을 선정하는 것이다. 아무리 좋은 책이라고 할지라도 우리의 언어로 쓴 책이 아닌 경우에는 발달장애 학생이 이야기를 이해하는 데 어려움이 있었다. 우리나라 언어와 문화를 익히는 것이 우선되어야 하기에 우리나라 책을 선정하려고 했다. 단, 글이 적은 그림책의 경우에는 예외로 하기로 했다. 글의 양이 매우 적어 글보다 그림으로 이야기를 충분하게 이해할 수 있는 경우에는 외국 책도 선정도서로 포함할 수 있도록 열어두었다.

둘째, 다양한 수준의 발달장애 학생들이 책을 선택할 수 있도록 그림이 주가 되는 그림책, 글이 주가 되는 그림책, 줄거리 파악이 용이한 단편동화나 장편동화, 줄거리 이해하는 데 인지적 도전 요소가 포함된 단편동화나 장편동화로 나누어 책을 선정하는 것이다. 학생들의 읽기 수준과 인지적 수준을 고려함과 동시에 생활연령도 충분히 고려해야 하기에 위와 같은 수준으로 책을 고르고자 하였다.

셋째, 이야기의 주제가 학생들의 일상생활과 밀접한 관련을 맺고 있고 학생들에게 교훈적인 내용을 담고 있는 책을 선정하는 것이다. 학생들의 일상생활을 담고 있는 이야기는 학생들이 친숙하고 익숙하게 느낄 수 있고 이러한 편안함 속에서 이야기에 공감하고 위로나 격려를 얻을 수 있다. 친숙한 일상생활 속 이야기를 읽음으로써 특정한 사회적 상황에서 어떤 사회적 기술을 사용해야 하는지에 대한 관찰학습 효과를 기대할 수 있다. 또한 학생들의 인성 교육, 기본적인 생활 습관 형성에 긍정적인 영향을 미칠 수 있는 교훈적인 주제를 담고 있었으면 했다. 학생이라고 해서 꼭 교훈적인 이야기만을 읽어야 하는 것은 아니다. 하지만 발달장애 학생을 지닌 학생들이 꼭 배워야 하는 것을 책으로 읽음으로써 간접 경험해 볼 수 있는 기회를 제공하고 싶었다.

<그림> 제5회 SET UP 발달장애인 독후감 대회 포스터

이러한 기준으로 선정한 책이 『모두 다 꽃이야』, 『말들이 사는 나라』, 『말주머니』, 『시계 수리점의 아기 고양이』이다. 5회 선정도서 4권을 하나씩 뜯어 살펴보도록 하자.

첫 번째 책『모두 다 꽃이야』는 그림이 주가 되는 그림책으로 국악동요 '모두 다 꽃이야' 가사에 그림을 그려 만든 책이다. 우리는 생김새도 다르고 나이, 성별도 다르지만 우리 모두는 존재 자체만으로 소중한 꽃임을 말하고 있다. 이 그림책은 생활연령에 구애받지 않고 모든 학생들이 읽을 수 있는 내용을 주제로 하고 있다. 나이가 어린 초등학생들은 초등학생대로, 사춘기에 접어든 중고등학생들은 중고등학생대로 자신의 상황에 따라 모두가 공감하며 읽을 수 있는 책이다. 또 이 책은 '모두 다 꽃이야'라는 국악동요를 함께 부르면서 이야기의 내용을 반복해 학습할 수 있고, 가사를 그대로 옮겨놓은 율동을 통해서도 이야기의 내용을 쉽게 이해할 수 있다.

두 번째 책『말들이 사는 나라』는 한 쪽에 읽어야 할 글의 양이 많지 않지만 총 92쪽으로 전체적인 책의 볼륨이 두꺼워 글의 양이 많은 그림책이다. 한 쪽에서 읽어내야 할 글의 양은 많진 않지만 첫 번째 책과 비교하여 전체적인 이야기의 줄거리를 파악하는 데 더 많은 노력을 기울여야 하는 책이다. 또한 다그닥 '말'과 이야기 '말'이라는 동형어를 이해할 수 있어야 한다. 이 책은 좋은말과 나쁜말 삼총사라는 다그닥 말을 주인공으로 내세워 좋은 말도 중요하지만 나를 보호하고 지키기 위해서는 나쁜 말을 할 수 있어야 함을 주제로 삼고 있다. 우리 학생들 중에는 거절하는 의사표현을 하지 못하는 경우가 종종 있다. 다른 학생들과의 교우관계에서 자신을 지키기 위한 표현도 분명하게 할 수 있어야 함을 알려주고 싶었다.

세 번째 책은『말주머니』로 단편소설집이다.『말주머니』는 웅진주니어 문학상 단편 부문 대상작과 우수작으로 구성되어 있다. 이 책은 수상작은 엮은 책이다 보니 여러 명의 작가가 쓴 5편의 단편소설이 있다. 이 중에서 대상작인「말주머니」만을 독서교육 자료로 제작하여 다른 단편소설보다「말주머니」에 집중할 수 있도록 하였다.「말주머니」는 총 17쪽으로 이루어져 단편소설이라는 이름에 맞게 이야기의 길이가 길지는 않지만 한 쪽에 대략 20문장이 나오기 때문에 이야기를 이해하는 데 주의집중이 필요한 책이다. 또한 '말주머니'라는 가상의 물건이 등장하는 데 이 물건을 책의 구체적인 묘사에 따라 상상하여 머릿 속에 그릴 수 있어야 한다. 말주머니는 아이들의 이야기에는 귀 기울이지 않고 자기가 할 말만 내뱉는 어른들의 모습을 풍자적으로 보여 주기 때문에 말주머니의 모습을 통해 엄마나 선생님의 모습을 연상할 수 있다. 말주머니가 아닌 엄마의 목소리를 듣고 싶다는 주인공의 고백은 부모나 선생님과의 진심 어린 대화를 어려워하는 아이들의 속마음을 생생하게 담고 있어 큰 공감을 불러일으킨다.

네 번째 책은『시계 수리점과 아기 고양이』로 세 번째 책『말주머니』와 같이 단편소설을 모아놓은 단편소설집이다. 하지만『말주머니』와 달리『시계 수리점의 아기 고양이』는 한 명의 작가가 여러 편의 단편소설을 쓴 책으로 여린 생명과 친구, 이웃을 돌아보게 하는 단편소설들로 구성되어 있다. 또한 이 책의 작가는 작가이면서 초등학교 교사로 학생들에게 전달하고자 하는 메시지가 교훈적이었고 국어과 성취기준과 연계하여 책을 읽을 수 있도록 고안되었다. 우리는 여러 편의 단편소설 중에서 표제작인「시계 수리점의 아기 고양이」에 집중하도록 독서교육 자료를 제작하였다.「시계 수리점의 아기 고양이」는 시계 수리점이라는 이제는 찾아보기 힘든 곳에서 일하는 할아버지가 자신의 가게를 찾아온 아기 고양이와 대화하면서 이야기가 진행된다. 말하는 아기 고양이가 나온다는 설정을 학생들이 이해할 수 있어야 하고 꽃이 핀 봄과 눈이 내리는 겨울을 비유하는 표현들을 이해할 수 있어야 한다. 발달장애 학생들의 인지적 특성을 고려해 볼 때 빗대어 표현하는 비유와 상징을 이해하는 것은 인지적 도전 요소가 될 수 있으며 이를 해결하며 읽을 때 오는 성취감을 경험할 수 있는 책이다.

책갈피는 앞으로도 지금처럼 우리가 정한 선정기준을 계속해서 보완해 가면서 발달장애 학생들이 다양한 책을 읽고 다양한 경험을 나눌 수 있도록 노력할 것이다. 우리의 노력이 매회 쌓여 발달장애를 지닌 학생이 독서의 즐거움을 느끼고 평생독자를 성장하길 바란다. 그리고 더 나아가 발달장애인 아닌 비장애인들이 발달장애인의 독서권에 관심을 갖고 상업성이 우선되는 출판계에서 발달장애인까지도 포함한 다양성을 고려한 책이 출판되는 날이 오기를 꿈꿔본다.

SET-UP

모미

모두의 미디어

모미 리더 지정훈

비판적
미디어
리터러시와
마주한
2023
모미

"우리는 왜 미디어 리터러시를 만나는 걸까?"

이름도 낯설고 발음도 뭔가 불편한 '미디어 리터러시'는 모미 식구들에겐 달콤함과 씁쓸함을 동시에 가져다주는 묘한 맛의 초콜릿이다. 모미 식구들의 대부분은 교실에서 아이들과 함께했던 미디어를 떠올리며 새로운 의지를 불태우며 모미가 되었다. 하지만 현실 속 모미가 만나는 미디어 리터러시는 난해함의 연속이었다.

미디어 리터러시의 요소들을 고민하고 텍스트로 읽었던 개념들을 학생들의 미디어 생활로 연결하는 과정은 새로운 앎에 대한 부화의 시간이었다. 그리고 지금 이 순간도 우리는 여전히 개념들과의 사투를 벌이며 우리만의 상황에 맞게 소화하려 애쓰고 있다. 누가 시킨 것도 아니었고, 의무도 아니었다.

그럼에도 불구하고 우리는 왜 미디어 리터러시를 자꾸 만나고 있을까? 그것은 아마도 교실에서 마주했던 장애학생들의 미디어 생활에 대한 끌림 때문이다. 아이들의 미디어 생활 장면을 찬찬히 들여다보면 어느새 강렬한 이야기가 펼쳐진다. 유튜브를 너무나 사랑하는 아이들의 유튜브 생활에 대한 호기심, SNS를 통해 소통을 갈망하는 학생의 진짜 속마음, 스마트폰 사진첩 속에 담아둔 찰나의 선택들. 미디어 곳곳에 숨겨둔 아이들의 이야기를 들여다보려면 우리는 미디어 리터러시를 만나야만 하는 운명에 갇힌다.

"피할 수 없다면 질문을 키우자."

미디어 리터러시는 일반적으로 접근-비판적 이해-제작 및 참여의 과정1)을 거친다. 단순히 미디어를 사용한다고 해서 미디어 리터러시를 갖췄다고 보기 어렵다. 미디어 리터러시를 가르친다는 것은 앞선 과정을 배움으로 전환해야 한다는 의미이다. 그동안 모미는 이 과정에 대해 다양한 서적을 만나며 전문성을 갖추려고 노력했다. 무엇 하나 쉽지 않은 과정이지만 '비판적 이해'는 이름부터 피하고 싶은 존재였다. 발달장애학생들에게 '비판적 사고'를 실천할 수 있도록 가르쳐야 한다는 것은 생각만으로 도전이었다. 이렇게 피하고 저렇게 피해 다녀도 미디어 리터러시에서 비판적 이해를 피할 수는 없었다. 하필 미디어 리터러시의 핵심이 비판적 사고일건 뭐람.

피할 수 없기에 우린 질문을 키우기로 했다. 피할 수 없다고 부딪히기엔 비판적 사고는 너무 아팠다. 모미 식구 여섯 명이 함께 물음표를 씨 뿌려 물을 주고 가꾸다보면 아주 작은 열매라도 맺히지 않을까? 그렇게 모미는 비판적 미디어 리터러시를 위한 질문을 키우기 시작했다.

1) 김아미, 미디어 리터러시 교육의 이해, 커뮤니케이션스북스, (2015), 78.

"아이들의 삶으로 퍼져나간 질문들"

예상은 했지만 예상보다 더더욱 어려웠다. 비판적 미디어 리터러시와 관련된 개념서를 읽으면서 발달장애학생들의 상황을 떠올려보면 우리는 가능한 것보다는 불가능한 이유를 찾았다. 머리로는 이해하지만 (이해가 불가능한 시간이 더 많았다.) 그래서 그것을 어떻게 가르칠 것인가의 문제는 전혀 달랐다. 그러던 중 우리는 미디어 리터러시 수업에 대한 실천을 나누었고 그 과정에서 비판적 이해가 필요한 순간을 수업으로 연결해보았다. 우연하게 시작된 우리의 시도는 하나의 점이 퍼져나가듯 비판적 이해에 대한 실마리를 조금씩 풀어갔다. 우선 비판적 미디어 리터러시에 대해 팩트체크, 허위 정보 분석으로 접근했던 시각을 벗어날 수 있었다. 비판적 미디어 리터러시는 참과 거짓을 구별하는 ○, × 퀴즈가 아니었다. 일 년에 가까운 시간 동안 비판적 미디어 리터러시를 어떻게 가르쳐야 하는지 궁리했던 모미의 한 선생님은 다음과 같은 물음표를 키워냈다.

"다양한 비판적 리터러시 수업 사례를 보면서 장애학생들에게 필요한 비판적 리터러시는 무엇이 있을까 라는 고민이 들었다.
비판적인 능력은 어떠한 것을 보았을 때
다양한 생각을 스스로 할 수 있는 것이라고 생각되었다.
하지만 발달장애학생들은 스스로 생각할 힘이 적기 때문에
교사가 그 상황을 만들어주고 이끌어주어야 한다. 그게 나의 역할이었다."
(셋업 5기 권주희)

이렇게 시작한 물음표는 결국 아이들의 삶으로 퍼져나갔다. 특히 셋업 3기 차성은 선생님의 수업은 학생의 삶인 SNS로 직결되었다. 무분별한 SNS 팔로잉, 타인의 메시지에 대한 무한한 신뢰를 바탕으로 SNS를 이용하는 학생과 비판적 미디어 리터러시를 바탕으로 지도를 시작했다. SNS 범죄의 표적이 될까 모미 교사들의 간담을 서늘하게 했던 학생의 삶에 비판적 이해를 위한 질문을 심어나갔다. 수업 후 다시 원점을 향하는 도돌이표의 연속이었지만 SNS 메시지, 사진에 대해 다양한 관점에서 생각할 수 있는 질문과 반문을 꾸준히 하면서 한 학생의 삶을 조금씩 변화시켰다. 스스로 온전히 서는 날이 까마득하더라도 괜찮았다. 도돌이표를 사랑하고 기꺼이 받아들이며 발전시키는 것이 특수교사인 우리들의 특기이자 전문성이지 않은가.

"우리가 진정 비판적 이해를 할 기회를 줬던가?"

이 글을 쓰고 있는 지금 이 순간에도 여전히 미디어 리터러시를 가르치는 것은 재밌지만 어렵다. 모미가 발달장애학생들을 위한 비판적 미디어 리터러시 교육을 해결했노라고 말하긴 힘들다. 우린 여전히 헤매고 있고 성장하는 중이며 더 다양한 방법을 발견하는 과정에 있다. 그럼에도 우리가 이 뿌듯함을 감추지 못하는 이유는 비판적이라는 말에 갇혀 장애를 이유로 핑계를 대지 않고 정면 돌파의 방법을 선택했기 때문이다. 그 과정에서 모미는 내내 반성했다. '비판'이라는 용어가 주는 뉘앙스에 사로잡혀 있던 것은 아니었나? 어려울 것이라는 생각에 적당히 미디어를 다루는 수업으로 만족했던 것은 아니었나? 교사가 다루기 어려운 주제를 학생이 다루기 어려운 주제로 변모시킨 것은 아니었나? 혹자는 우리의 발견에 대해 과도한 거창함이라고 생각할지도 모르겠다. 하지만 우리에게 이 모든 과정은 특수교사인 '나'의 과오와 마주한 결과였다. 비판이라는 이름을 주머니에 넣어두고 비판의 본질, 다양한 생각을 꺼내 아이들의 눈높이에 맞추어 질문을 심는다. 아이들이 생각할 수 없다고 못하는 것이 아니라 생각해 본 경험을 만들어주는 것이 우리의 할 일이었다.

피클과 함께하는 긍정적행동지원
: 미션으로 함께 우리 교실 PBS 만들기

피클 리더 한경화
신현경, 김윤정, 김미래, 방극열, 전혜지

2023년 피클의 우리는

피클 리더 한경화

스터디를 시작하며 함께 철학을 나누고 PBS의 튼튼한 뼈대를 세웠다.

그리고 그 철학을 바탕으로 각자의 교실에서 PBS를 조금 더 쉽게 그리고 견고하게 실천해보기로 했다. 또 가능하다면 선생님들에게 소개도 할 수 있는 자료를 만들고 싶었다. 2023년 피클 스터디의 여정은 이러한 목표를 가지고 시작되었다. 우리는 목표를 달성하기 위해 크게 세 가지 차원에서 함께 연구하고 실천해왔다. 첫 번째, 함께 책을 읽으며 긍정적행동지원을 공부하는 과정, 두 번째 긍정적행동지원을 위해 함께 같은 미션을 가지고 수행해보는 과정, 세 번째, 개별 지원이 필요한 학생을 위해 행동중재계획을 세우고 실천해 나가는 과정이다. 이러한 과정을 통해 각자 학급에서의 긍정적행동지원이 서로의 학급에 좋은 영향을 미치며 우리가 처음에 세웠던 더 쉽고 견고한 실천들을 할 수 있었다.

피클이 미션을 통해 함께 열심히 실천해 본 긍정적행동지원 실천 과정 일부를 나눠보고자 한다.

시각적 일과표

신현경

특수학교에서 1학년 학생들을 만나는 올해! 다른 때 보다 자폐성 장애 구성원의 비율이 높았다. 학부모 상담을 통해 장소 이동, 전환에 대한 어려움이 공통으로 있다는 것을 알게 되며 올해도 시각적 일과표가 꼭 필요하겠구나-생각하면서 미션을 즐거운 마음으로 실행할 수 있었다!

<시각적 일과표 사진>

<시각적 일과표 활용1>

비단 자폐성 장애 학생뿐 아니라 다른 친구들에게도 시각적 일과표는 하루의 일과가 어떻게 구성되고 어떤 순서로 진행되는지 미리 알려준다는 점에서, 예측 가능성과 안도감을 준다는 것을 우리 모두 경험해보아 잘 알고 있기에 기본 구성인 '순서, 과목명, 교사, 장소'로 어렵지 않게 진행할 수 있었다. 나 또한 한 교시 한 교시의 수업이 끝난 후 시간표를 아이들과 한 개씩 떼어 정리하면서 하루의 진행 순서를 다시 한번 상기할 수 있었고, 남은 수업과 변화를 더 잘 대비할 수 있다는 점에서 좋았다.

각자 수행한 미션을 나눌 때도 서로의 학급을 보면서 배울 수 있었다.

나의 경우에는 특수학교에 있고, 학급 학생들의 시간표가 공통된다는 점에서 주로 전체 시간표 사용하였는데, 이런 경우와 달리 학급에서의 시간표는 학생마다 학년도 다르고, 특수학급에 오는 시간, 배우는 과목이 달라서 개인별 시간표를 더 유용하게 쓰는 선생님도 계셨고, 이동용 시간표를 만든 선생님도 계셨다. 나처럼 수행한 과목을 떼어 버리는 경우도 있었고, 접이식으로 만들어 o, x를 구분하는 선생님도 계셨다. 같은 구성을 사용하더라도 교과서 이미지를 쓰느냐 사진을 쓰느냐에 따라서도 정말 다양한 시각적 일과표 활용 방법을 생각하고 실천해보며 나눌 수 있는 귀중한 시간이었다.

<시각적 일과표 활용2>

올해 우리 반은 특히 시각적 일과표에 있는 장소 카드를 이동할 때 기대 행동과 연관 지어서 적극적으로 활용하였는데, 이것도 큰 도움이 되었다. 너무 잘 안다고 생각한 시각적 일과표도 사용할수록 더 많은, 더 나은 사용 방법을 생각하게 되고 다른 것들과 효과적으로 연계할 수 있다는 것을 깊이 느낀 좋은 경험이었다.

상황이야기, 파워카드

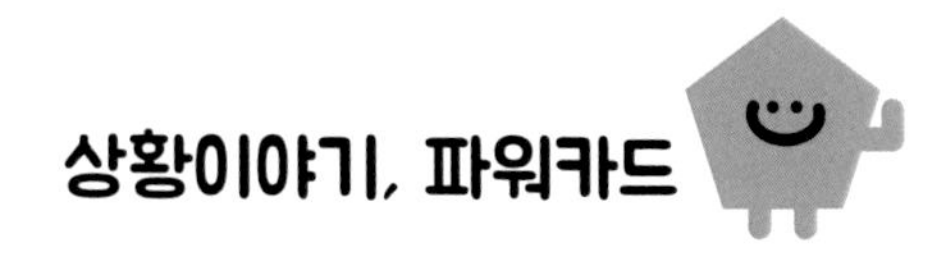

김윤정

미션으로 시작된 상황이야기와 파워카드!

줄글로 된 상황이야기는 우리 반 아이가 이해하기 어려울 것 같아 고민이 되었다. 그래서 상황이야기를 아이가 좋아하는 캐릭터를 활용해서 영상을 만들어 보면 어떨까? 생각이 들었다. 유튜브에서 아이가 유독 좋아하는 영상을 편집하고 내 목소리와 아이 사진을 넣어서 상황이야기를 동영상으로 만들었다.

<파워카드 영상>

<영상 강화제>

영상 내용은 크게 다음과 같다.

1. 캐릭터가 아이에게 인사를 하며
교실에서 지켜야 할 약속에 대해 말해주겠다고 한다.
2. 약속 3가지를 말해준다.
3. 그 약속을 지킴으로 받을 수 있는 결과(강화, 강화제)를 말해준다.

이 영상을 캡쳐해서 파워카드를 만들고 교실에도 게시하였다. 그리고 상황이야기를 가정과도 공유하였고 매일 아침에 틀어주었다. 파워카드는 코팅해서 항상 들고 다녔다.

〈파워카드 칠판용〉

〈파워카드 개인용〉

주로 통합반에서 공격행동이 나타나는 아이여서 통합반 가기 전에 2~3번 반복해서 틀어주고, 약속을 상기시키고 통합반에 갔다. 이렇게 반복하니 아이가 공격행동을 하기 전에, 또는 분노폭발이 일어나기 직전에 "약속", "생각해" 라고 이야기하거나 파워카드를 보여주기만 해도 아이가 공격행동을 멈추려고 하는 모습이 보였다. 스스로 약속의 문장을 이야기 하면서 자기 행동을 조절하였다. 이로 인해 공격행동의 빈도가 조금씩 줄었다.

영상을 활용한 상황이야기 및 파워카드가 효과가 좋았던 이유를 생각해보면 다음과 같다.

1. 아이가 좋아하는 영상과 캐릭터를 활용했다. 아이가 좋아하는 영상과 캐릭터를 활용하니 주의집중을 잘했다.
2. 교사의 목소리가 들어갔다. 내 목소리가 영상에서 나오니 신기해했다.
3. 아이의 얼굴이 들어갔다. 영상 말미에 아이의 얼굴을 넣고 OO이 할 수~ 있다!고 응원하는 말도 넣었는데 이 부분을 아이가 좋아했다.
4. 영상 길이가 짧다. 30초가 안되는 영상길이로 만들었다.

상황이야기, 파워카드 활용에 고민이 있으시다면 아이가 좋아하는 캐릭터를 활용해서 영상으로 만들어 보시길 추천하고 싶다.

강화패키지

김미래

올해 학급에 다시 오게 되면서 아이들 경제 교육과 학급 운영을 어떻게 하면 재미있고 실제적으로 할 수 있을까를 고민하다 강화 & 학급 운영 & 경제 교육을 연계하여 실시하면 좋을 것 같다고 생각했다. 그러던 중 피클에서 강화패키지 미션을 수행하였다.

우리 반 강화 패키지는 학급 규칙과 역할 그리고 루틴차트를 잘 수행하면 월급을 받고, 선행을 하면 추가 보너스를 지급하는 방식으로 이루어졌다. 강화의 준거와 내용은 행동계약서로 작성하였으며, 월급으로 학급 매점에서 강화제를 살 수 있도록 운영하였다. 자세한 내용은 다음과 같다.

<화폐 예시-지갑, 용돈기입장>

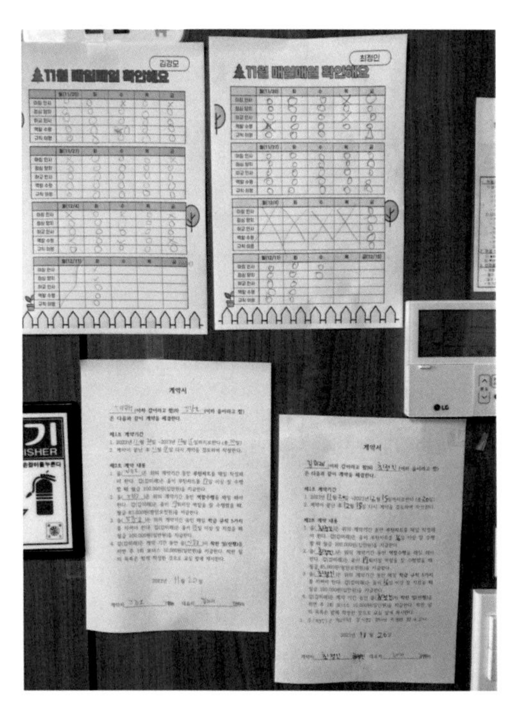

<행동계약서-루틴차트 게시>

1. 먼저 정호중 선생님의' 흔들리지 않는 학급 운영의 비밀'을 참고하여 학급 규칙과 1인 1역할을 정하여 게시하였다.

2. 다음으로는 행동계약서를 작성하여 강화 기준, 월급과 보너스 금액, 내야 할 세금 등을 명시하였고 아이들이 스스로 파악할 수 있도록 게시하였다.

3. 루틴차트를 스스로 작성하면서 각자의 규칙, 역할, 루틴 상황을 체크할 수 있도록 하고, 한 달(계약서 명시)이 지난 후 루틴차트와 계약서를 보며 월급을 제공하였다.

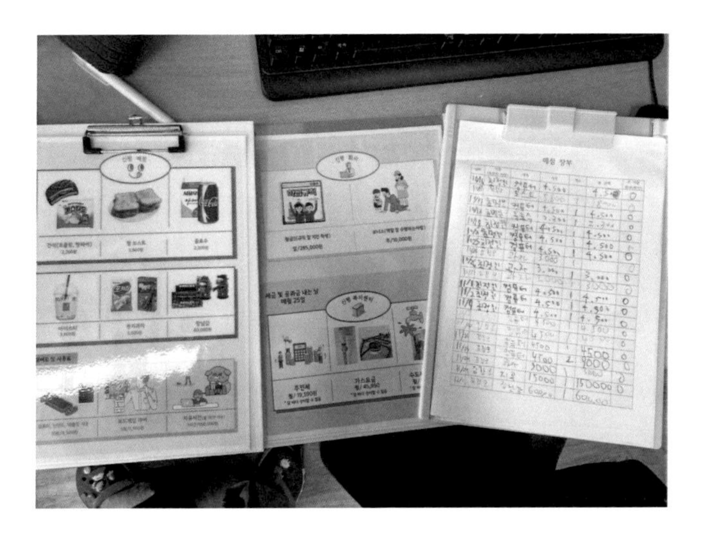

4. 매일 수업 전 용돈 기입장(가계부)을 작성하면서 스스로 수입과 지출의 개념을 익힐 수 있도록 하고 소득에 맞는 소비를 할 수 있도록 하였다.

5. 받은 월급으로 매점에서 강화제를 구입하여 스스로 장부에 기록할 수 있도록 하였다. 매점의 강화제는 간식(수업과 연계), 전자기기 사용 등을 강화제로 사용하여 아이들의 동기를 부여하였다.

6. 세금 및 공과금을 매월(21일)에 맞게 낼 수 있도록 하여 관련 개념을 익힐 수 있도록 하였다.

7. (2학기 추가) 은행을 운영하여 대출과 저축에 대한 개념을 심어주었다.

처음에는 많은 시행착오를 거치기도 했다.

한 학기 동안 하면서 학생이 너무 좋아하는 물건을 강화제로 선정하여 오히려 역효과를 낸 것, 월급과 물건값의 조화가 맞지 않았던 것, 학습 수준이 낮은 아이들은 월급을 받은 데로 다 써버렸던 것 등이다. 하지만 조금씩 보완하다 보니 요령도 생기고 아이들도 많은 의견을 내면서 적극적으로 참여하였다. 1년을 돌아보니 아이들이 경제개념도 생기고 긍정적인 행동도 많이 증가한 것 같아 앞으로 매년 해야겠다는 마음을 먹었다. 내년에는 아이들과의 소통을 통해 체계적으로 운영해보고 싶고, 혹시 경제 교육과 강화에 고민을 가지고 계신 선생님들이라면 적극 추천하고 싶다.

루틴차트

방극열

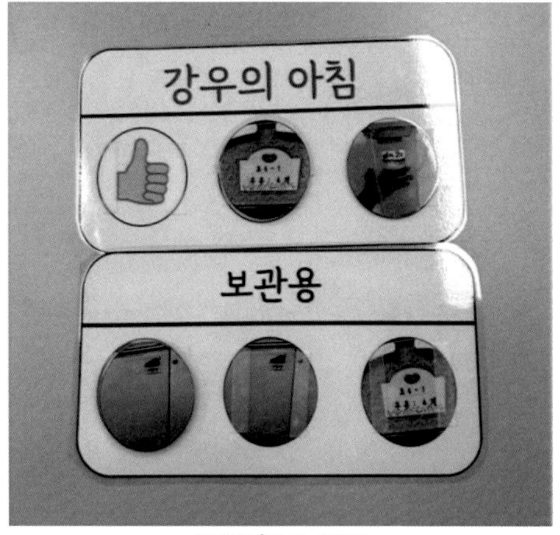

〈루틴차트 사진〉

우리 아이들 중에는 어미 새를 바라보는 아기 새의 눈빛으로 지시를 기다리는 친구들이 종종 있다. 언제까지 지시를 기다릴지 서로 눈치싸움도 하고 언어적 지시를 하지 않기 위해 손짓과 몸짓으로 힌트를 주기도 했었다. 루틴차트는 그런 아이들에게 효과적으로 길을 안내하고 더불어 자동으로 강화가 되는 좋은 도구가 되었다. 아이들에게 작은 성공 경험을 주기 위해 많은 노력을 하는데 루틴차트를 만든 이후로는 아침 등교 때마다 스스로 미션을 수행하고 강화를 받는다. 해야 할 일을 한 가지 끝내고 해당 항목 스티커를 떼어 보관용 판에 붙일 때마다 엄지척을 받을 수 있었다. 아침부터 3엄지로 행복한 학교생활을 시작하는 우리 반 아이를 보고 진작에 해줄 걸 생각했다.

나는 매년 하위 아이들의 중재를 위해 신경을 쓰고 있고, 상위 아이들은 스스로 할 수 있는 능력들이 많기에 간단한 지시를 하는데 신경을 써왔다. 그래서 중위 아이들을 놓칠 때가 많이 있었다. 스스로 할 수 있지만 시간이 없다는 이유로 교사가 해주어서 기회를 뺏고 있었다. 하지만 루틴차트를 통하여 자기 주도적인 일상생활에 한발 나아갈 수 있었다.

각자 현장에서 고생하고 계신 우리 선생님들이 루틴차트를 활용하여 학생과 교사 모두의 삶의 질 향상이 되었으면 좋겠다.

마이캘린더

전혜지

우리 아이들에게 너무도 중요한 긍정적인 루틴!

리듬감 있는 교실을 만들기 위해 딱 5분, 아니 1분의 시간만 있다면 아이들과의 규칙적인 아침 루틴을 완성할 수 있다. 하지만 특수교사의 일과는 너무나 바쁘고, 나조차도 마음속으로만 한 100번 정도 우리 반 달력을 만들어야지 했던 게 벌써 1년은 훌쩍 넘은 것 같다. 더 잘 만들고 싶다는 생각에 늘 준비성의 함정에 빠지는 나로서는 선생님들이 많은 시간과 노력을 투자하지 않고 어느 교실에서나 쉽게 출력만으로 사용할 수 있는 마이캘린더를 만들고 싶었다.

<마이캘린더>

매일 아침 활동 마이캘린더에는 달력, 요일, 계절, 날씨, 그리고 오늘의 인사 등 매일 반복하면 자연스럽게 스며들 수 있는 내용을 넣었다. A4나 A3용지에 출력하여 칠판에 붙여 사용하고, 숫자를 쓸 수 있는 아이들이 매달 번갈아 가면서 달력에 숫자를 쓰고, 쓰기에 어려움이 있는 학생들은 벨크로를 사용해서 숫자를 붙여도 좋을 듯하다. 학급에서 배움노트를 사용하고 있는 학생이 있다면 코팅 후 배움 노트 맨 앞에 넣어 개별적으로 활용할 수 있다.

우리 반에서는 마이캘린더를 코팅하여 칠판에 붙이고 매일 수업 시작 전 함께 보고 각자의 배움 노트에 오늘 날짜, 날씨 등을 적거나 표시한다. 매일 루틴을 하다 보니 아이들이 자연스럽게 날짜나 날씨를 알게 되고, 더 나아가서는 오늘 자기 기분이나 상태는 어떤지를 말하기도, 내일은 뭘 하는지 궁금해하기도 한다.

항상 학급에서 사용할 자료를 만들 때 '내용'에 중점을 두다 보면 시작조차 부담스러워 자료 만들기를 미룰 때가 많았다. 마이캘린더는 '내용'보다 '태도'를 위해 무언가를 새로 가르친다는 느낌보다는 아이들이 오늘, 현재를 느꼈으면 하는 마음으로 교실의 질서와 리듬을 만들어가는 매일이 되었으면 한다.

<마이캘린더 사용 예시>

중꺾그마 '중요한 것은 꺾여도 그냥 하는 마음'

피클 리더 한경화

1년 동안 각자의 교실에서 긍정적행동지원을 열심히 실천해보며 항상 기쁨만 있었던 것은 아니다. 함께 머리를 맞대고 연구하고 실천하며 학생들의 도전 행동을 다루고 지원하는 과정에서 오히려 더 많은 좌절과 고민에 빠지기도 했다. 하지만 돕는다는 것은 우산을 들어주는 것이 아니라 함께 비를 맞는 것이라는 신영복의 '함께 맞는 비'처럼 학생들의 어려움이 있는 그 시간 우리는 학생과 학부모와 함께, 때로는 피클 선생님들과 함께 비를 맞았다. 그리고 그 시간을 버틸 수 있도록 지지해주는 사람이 되었다.
그래서 학생이 그리고 우리 피클 선생님이 어려움 속에서도 앞으로 나아갈 수 있는 사람이 될 수 있도록 해주었다.

1년 차 피클의 모습이 '**중꺾마; 중요한 것은 꺾이지 않는 마음**'의 모습이었다면, 2년 차가 된 피클의 모습은 '**중꺾그마; 중요한 것은 꺾여도 그냥 하는 마음**'의 모습이었다. 따뜻하게 그 자리에서 서로가 함께 있어 주었기에 가능한 일이었다. 우리의 모습은 시간이 흐를수록 깊어지고 성숙해지고 있다. 3년 차가 될 우리의 내년 모습이 더욱 기대된다.

#특톡사 #음악교육유닛 #2023

음악이 있는 교실을 위하여

Part.2

선생님들께서는 노래 부르기와 악기 연주하기를 얼마만큼 좋아하시나요? 음악 수업에서 노래 부르기가 없다면, 음악 시간에 악기 소리가 들리지 않는다면 얼마나 어색할까요? SETUP의 음악교육유닛에서는 6월과 7월 노래 부르기와 악기 연주하기에 관해 이야기 나누는 시간을 가졌습니다. 신체를 활용하여 노래 부르기 활동에 참여하거나 악기를 연주하는 학생들부터 박자와 음정을 맞춰 노래하고 악기를 연주하는 학생들까지 아주 넓은 능력 범주가 펼쳐져 있는 '노래 부르기'와 '악기 연주하기'를 함께 살펴보겠습니다.

노래 부르기가 왜 필요한가요?

솔T

우선, 스트레스 해소에 도움이 돼요. 노래방에 다녀오면 속이 뻥 뚫리듯 노래하는 것만으로도 마음속 응어리를 풀어낼 수 있기 때문이지요. 게다가 다양한 감정의 노래를 부르며 감정 표현도 가능해요. 이외에도 노래 가사를 익히며 어휘력이 향상하기도 하고, 함께 입을 맞춰 노래하며 친구와의 긍정적인 관계를 형성하는 데도 도움이 되기 때문이지요.

선T

호흡 조절에 도움이 되기 때문에 필요해요. 복식호흡을 연습하며 안정적인 호흡 패턴을 가질 수 있도록 도와주지요. 그리고 발음 연습에도 효과적이에요. 노래 가사를 듣고 따라 부르며 자연스럽고 부드럽게 발음을 연습할 수 있지요.

원T

읽기 능력을 향상하는 데 도움이 되기 때문이에요. 가사를 부드러운 음절과 함께 반복하여 읽음으로써 자연스럽게 읽기 능력이 향상될 것이에요. 그리고 박자에 맞게 호흡을 조절하며 노래하기 때문에 호흡 조절에도 유익해요. 게다가 편안한 분위기에서 노래하며 편안하게 학습을 유도할 수 있으므로 노래 부르기는 필요해요.

은T

평생의 취미로 만들 수 있으므로 노래 부르기는 필요해요. 별다른 준비나 도구 없이 언제나 스스로 즐길 수 있는 취미 활동이 될 수 있기 때문이지요. 또한 걸림돌이 되는 것 없이 누구나 자연스럽고 자유롭게 할 수 있는 활동이기 때문에 필요해요.

우리 학급 친구들의 노래 부르기 특징은 어떨까요?

은T

핵심 가사를 기억하고 분위기에 맞춰 노래하거나 신체 동작을 추가하며 노래해요. 그리고 교사의 지도에 맞춰 음색을 바꾸기도 하고, 발화가 어려우면 구음으로 노래하기도 하죠. 수업 때 배운 노래를 다른 때에 흥얼거리며 즐기기도 해요.

원T

큰 목소리로 노래하는 데 자신감이 부족한 친구가 많았어요. 고개를 까딱까딱하거나 발장구를 치며 노래를 즐기는 신체 표현도 다소 부족했지요. 또한, 너무 흥이 난 나머지 본래 속도보다 빠르게 노래를 부르는 친구도 종종 있어요. 가장 어려운 것은 박자 맞추기였어요. 특히나 엇박자와 같은 정박자가 아닌 노래 부르기를 할 때였지요.

선T

자신감이 부족하거나 구조적인 결함으로 작은 목소리로 노래하는 친구가 많아요. 그리고 정확한발음을 구사하기 어려워 노래 부르기에 소극적이거나 빠른 박자의 가사를 따라 부르기 어려워 음만 맞춰 흥얼거리며 노래하는 친구도 있었답니다.

솔T

소리 지르거나 한 음으로 노래하며 장난치는 친구가 있었어요. 그러다 정확한 음으로 부르자고 하면 급격히 소리가 작아지는 모습을 보이기도 했지요. 하지만 빠르기에 대한 이해가 높아 빠르기 조절하며 노래를 부르기도 했어요. 발화가 어려운 학생은 흥얼거리며 노래하고, 간혹 비슷하게 발음하는 것으로 수업에 참여했습니다.

노래 부르기 교수 학습 방법 아이디어

원T

- 제재곡: 꽃을 꺾지 마세요
- 학습 목표: 가창곡의 음정을 익혀 노래할 수 있다.
- 활동 소개

- 도입: (동기유발) 봄에 볼 수 있는 풍경 말하기 / 꽃 사진 보고 이야기 나누기
- 전개: (활동1) 영상 보며 감상하기 / 악보 보며 감상하기
  (활동2) 한 소절씩 따라 부르며 음정 익히기 / 1절씩 교사와 1대1로 노래하기 / 1절씩 친구와 같이 노래하기 / 손박자 치며 노래하기
- 정리: 노래 부르는 모습 촬영하고, 시청하기

지T

- 제재곡: 내가 호 불어줄게요
- 학습 목표: 독창과 합창으로 노래를 부를 수 있다.
- 활동 소개

- 도입: (동기유발) 아픈 친구나 선생님의 모습 사진 보고 이야기 나누기
- 전개: (활동1) 교사 모델링과 신체 동작을 함께 넣어 노래 소개하기
  (활동2) 한 명씩 부르며 노래 연습하기
  (활동3) 합창으로 함께 부르기 연습하기
- 정리: 혼자 부르기/함께 노래 부르기/동료 평가하기

솔T

- 제재곡: 갯벌 친구들
- 학습 목표: '갯벌 친구들' 노래를 부를 수 있다.
- 활동 소개

- 도입: '갯벌 친구들' 노래를 듣고 어떤 친구들이 있는지 맞히기
- 전개: (활동 1) 갯벌 상자 속 친구 만나기(상자 속 갯벌 친구들 찾아 가사지에 붙이기)
  (활동 2) 노래 듣고 따라 부르기
  (활동 3) 갯벌 친구들처럼 행동하기(동물 몸짓을 따라 춤추기)
- 정리: 함께 노래 부르기

악기 연주는 어떤 교육적 효과가 있을까요?

즐거움의 대상이 되는 것 같아요. 악기가 가지고 있는 소리에 대해 들어보고, 들은 건지 촉감을 느낄 건지 등 선택하며 악기를 알아가는 과정이 학생들에게 즐거움이 될 것 같아요.

자신을 표현하는 수단이 된다고 생각해요. 규칙에 익숙한 학생들에게 자유로운 표현의 시간이 될 것으로 기대합니다. 또한 소근육 발달에도 효과적일 거예요. 많은 학생이 소근육 발달이 느린 편인데요, 악기 연주를 통해 이를 발달시키는 시간이 될 수 있을 것 같아요.

소리를 듣고, 소리를 내고, 합을 맞추는 과정이 집중력 향상에 도움을 줄 수 있을 것으로 생각해요.

듣기 연습도 될 것 같고요. 어떤 소리가 큰지, 어떤 소리가 작은지. 방금 들은 소리는 나에게 즐거움을 주는 소리인지, 방금 들은 소리는 나에게 짜증을 나게 만드는 소리인지 등 학생들이 스스로 악기 소리를 들으며 듣는 연습을 할 수 있도록 한다는 장점이 있다고 생각해요.

스트레스 해소에 도움을 준다고 생각해요. 여러 가지 소리가 나는 악기를 두드리고, 만지고, 흔드는 과정을 통해 자신을 표현하며 내면에 쌓여 있던 스트레스가 사라지는 장점이 있다고 생각해요.

선생님께서 만난 친구들은 악기 연주에 대해 어떤 반응인가요?

청각적으로 큰 소리나 시끄러운 소리를 좋아하지 않는 학생을 제외하고는 악기 연주를 좋아하고 있어요. 특히 제가 연주하는 모습을 보면 학생들이 더 집중해서 보는 경향이 있는 듯하고요.

연T

선T

악기를 연주하는 것에 큰 흥미가 없다가 요즘 갑자기 피아노 연주하는 것에 관심을 보여 피아노 건반에 번호 스티커를 붙였더니 열심히 치고 있답니다. 번호 악보를 주니 박자를 맞춰 치지는 못하더라도 연주할 수 있어 흥미를 보이고 있네요.

여학생들이 악기 연주에 비교적 관심이 더 많았던 것 같아요. 그러나 악기 연주를 한다는 것은 원래 알고 있던 곡의 계이름을 외워 연주하는 것에 그치는 경우가 많아서 새로운 멜로디를 익히기에는 다소 어려움을 보이고 의욕이 없는 모습도 있었어요.

원T

지T

무언가를 두드리고, 손가락을 움직이고, 신체를 움직일 수 있어서 제가 만난 학생들은 악기 연주하기를 좋아하는 편이었어요. 그렇지만 악기 소리를 들으면 흥분의 정도가 높이 올라가는 학생도 있기에 다인원 학급에서 같이 조율하며 악기를 연습하기에는 어려움이 있을 때도 있는 것 같아요.

악기마다 달랐어요. 가장 자주 접하는 피아노는 쉬는 시간마다 관심을 가지고 연주하는 편이에요. 피아노 위에 핑크퐁 공룡 악보가 있는데 '이거! 이거!'하고 가리키며 연주해달라고 요구하기도 해요. 학생들이 직접 연주하기도 하는데 아무 음이나 누르며 부르고 싶은 노래를 부르기도 하고, 높은 건반부터 낮은 건반까지 차례차례 연주하기도 하고, 전자 피아노에 있는 자동 연주 기능을 틀고 연주하는 연기를 하기도 해서 귀여운 적이 많아요.

솔T

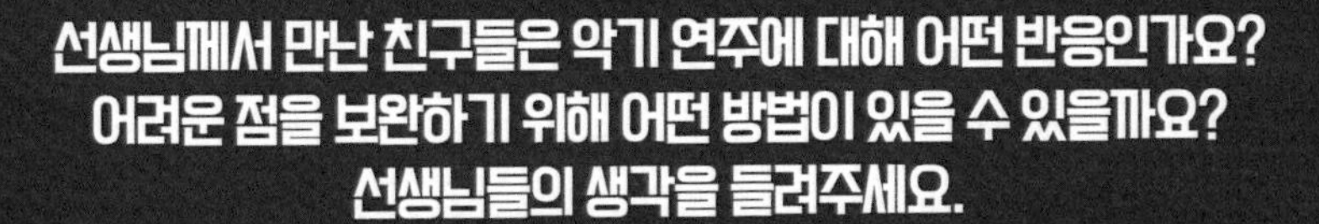

선생님께서 만난 친구들은 악기 연주에 대해 어떤 반응인가요?
어려운 점을 보완하기 위해 어떤 방법이 있을 수 있을까요?
선생님들의 생각을 들려주세요.

연T

- 악보 보는 것을 어려워해요. 아직 유치원 학생들이기에 악보를 보며 노래하거나 악기를 연주하는 활동을 주로 하지 않지만 '악보'라고 하는 것에 대해 낯섦이 있다고 느껴져요.
- 매일 일과에 같은 음악 활동을 준비하면 학생들이 훨씬 자연스럽게 받아들일 것 같아요. 또한 또래와 함께 단계적으로 리듬을 쌓으며 게임처럼 음악을 접하고 색깔이나 신체 부위 등 우리끼리만 아는 약속으로 음악을 접할 수 있도록 하면 학생들이 더욱 즐겁게 참여할 것 같아요.

선T

- 학생들이 악기를 익히고 집중하는 시간을 어려워한다고 느껴요. 또한 일대일 상황이 아닌 수업 상황이 더욱 많은데 악기의 개수가 부족하거나 연주하는 법을 알려줄 때 어려움이 있어요.
- 악기 연주 방법을 쉽게 또는 게임처럼 교수할 수 있는 방안에 대해 생각해보면 어떨까 싶어요. 또한 미리 악기 연주 방법을 익혔거나 멜로디를 외운 학생이 또래 교수를 진행하면 학생들의 동기와 집중력도 높아질 것 같아요.

원T

- 올바른 주법이나 음계에 맞춰서 소리내기 등과 같이 연주의 기초적인 부분과 기능을 익힐 때 가장 오랜 시간과 노력이 들어가는 것 같아요. 합주도 쉬운 편은 아니지요.
- 악기 탐색 시간을 가능한 한 많이 제공해보려고 합니다. 또한 메트로놈이나 기본 박이 되는 기본 악기의 소리를 더 크게 제공하면 학생들이 이를 들어보며 박자를 맞춰갈 수 있도록 연습이 될 것 같아요. 또한 악기 세팅을 위해 악기별 스탠딩 좌석이나 거치대가 있다면 환경적인 면에서 학생들이 연주에 더욱 집중할 수 있을 것 같아요.

선생님께서 만난 친구들은 악기 연주에 대해 어떤 반응인가요? 어려운 점을 보완하기 위해 어떤 방법이 있을 수 있을까요? 선생님들의 생각을 들려주세요.

은T

- 음악적 학습을 촉진하는 물리적인 교실이나 환경이 구성되면 더욱 좋을 것 같아요. 그리고 학생들에게 가장 효과적인 음악수업과 즐거운 기악 수업의 진행을 계획하기도 어려울 때가 있답니다.
- 특별실과 넓은 공간을 활용해보면 좋을 것 같아요. 새로운 공간에서 악기 소리를 듣는 장점도 있겠고요.

- 악기 탐색 시간에는 많은 흥미와 관심을 보이지만 연주하는 법에는 집중이 어려워요. 많은 학생을 대상으로 지도하다 보면 몸이 열 개라도 부족할 때가 있어요.
- 또래 모델링 또는 게임을 통해 연주하는 법을 교육하면 학생들이 더욱 흥미를 느낄 수 있을 것 같아요. 또한 다른 친구의 연주를 들으며 혼자 할 수 있는 좀 더 쉬운 과제를 제공한다면 보완이 될 것 같다는 생각이 들어요.

솔T

음악으로 만나는 특수교육대상 학생들은 정말로 다채롭고 놀랍습니다.

특히나 '노래 부르기'와 '악기 연주하기'에서는 더더욱 그러하지요.
선생님들과 같은 경험을 하고 고민을 하는 특수 교사 선생님들과
함께 나누는 음악 이야기가 행복한 시간입니다.
현장에서 계신 모든 선생님들의 일상이
아름다운 소리로 들리기를 기대합니다.

보완대체의사소통 유닛

너나우리

소통을 통해 너와 나의 연결고리 만들기

'빠른 건 중요치 않아. 너를 향해 가잖아.'

너나우리 리더 김소연

보통 느린 동물을 떠올리면 거북이를 많이 생각하는데, 나는 거북이가 느리다고 생각하지 않는다. 예전에 14년 정도 거북이를 키우면서 든 생각이다. 그렇다. 느린 것도 다 상대적인 것이다. 느릿느릿 움직이는 달팽이를 보면 무슨 생각을 하는지, 느리게 움직이며 보는 풍경은 어떨지 궁금하다.

'빠른 건 중요치 않아. 너를 향해 가잖아.' 이 시는 임태래 시인의 '달팽이'이다. 간결하면서도 마음에 와닿는 시이다. 이 시를 읽으면 우리 학생들이 생각나기도 하고, 가끔 고군분투하면서 열심히 살지만 제자리인 것 같은 나 자신이 생각나기도 한다. 너나우리의 선생님도 모두 떨어져 있지만 각자의 자리에서 AAC를 통해 학생들과 소통하기 위한 목표를 가지고 열심히 하반기를 보냈다.

수업 이야기

책 스터디

AAC를 활용하기 전에 우선 학생을 대상으로 평가를 실시하는 것이 중요하다. 너나우리 선생님들이 AAC를 적용하고 있지만 다시 꼼꼼하게 AAC를 공부해보고자 이 책을 선정하여 스터디를 하였다.

지체장애 뿐만 아니라 자폐성장애를 지닌 학생에게도 어떻게 AAC를 적용해야 하는지 구체적인 예시도 함께 적혀 있어서 많은 도움이 되는 책이었다. 운동능력 평가, 감각능력 평가, 인지능력 평가, 언어능력 평가의 항목과 검사 실시 사례가 제시되어 있어서 AAC에 대해서 잘 모르거나 학생에게 적용해보고 싶은 선생님들도 참고하여 읽을 수 있다.

AAC 평가 적용

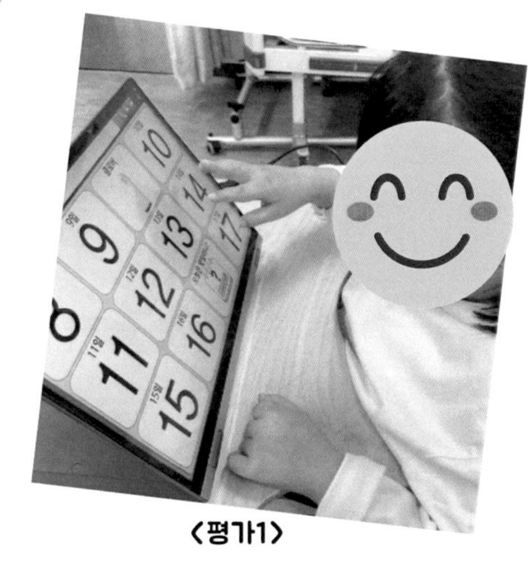

〈평가1〉

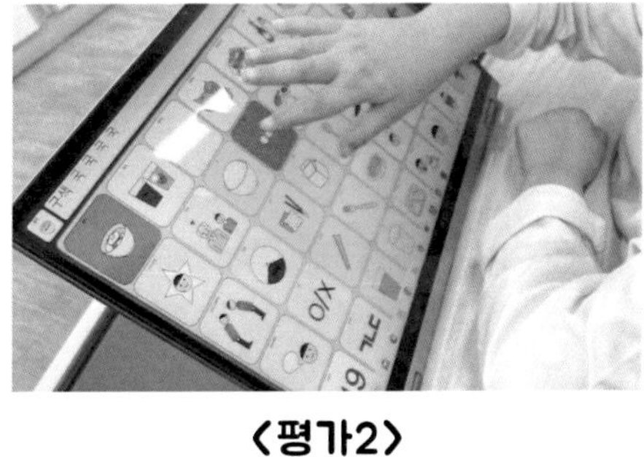

〈평가2〉

〈평가3〉

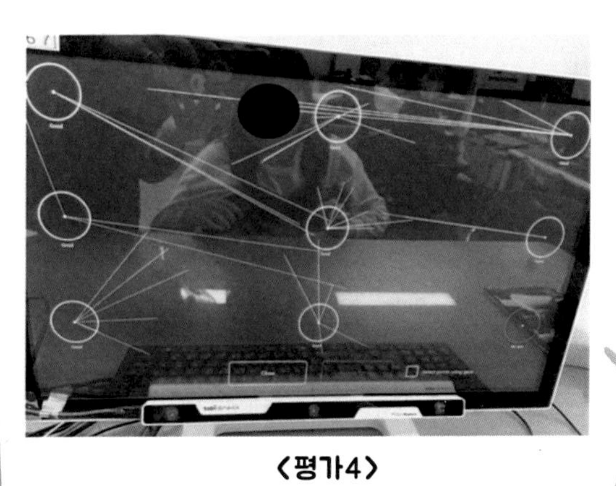

〈평가4〉

평가는 학생의 특성과 수준에 맞게 다양한 방식으로 진행할 수 있다. 접근성 평가, 인지평가, 주의력·청각적 이해력 평가, 상징 간의 간격 평가 등이 이루어져야 한다.

상징선택으로 의사 표현하기

<직접선택>

'엑'과 비슷한 발음으로 대답이 가능한 학생을 대상으로 통합교과 시간에 실시한 수업이다.

'골라보세요.', '눌러보세요.'라는 말을 듣고 이해할 수 있는 학생의 언어 특성을 이용하여 겨울방학에 하고 싶은 활동을 AAC 앱으로 살펴본 후 직접 선택을 통해 의사를 표현할 수 있도록 하였다. 그리고 교과서에 하교 싶은 활동을 선택하여 붙임 딱지를 붙이고 손가락으로 가리키며 발표까지 하였다.

시선응시판을 활용한 수업

시력과 청력은 정상이나 강직형으로 좌우, 위 아래 머리 움직임과 위, 아래 팔 움직임만 가능한 학생을 대상으로 실시한 수업이다.

언어 표현도 음성(으, 이이, 어마) 표현으로 한계가 있어 시선응시판을 이용하기로 했다. 시선응시판을 통해 날씨에 맞는 옷차림을 선택하는 수업을 진행했다. 옷차림과 관련된 책을 보며 날씨에 어울리는 옷차림을 알려주었다. 그리고 활동보조원과 함께 색깔과 옷 종류로 구성된 활동보조판을 만들었다.

그리고 학생에게 시선 응시를 통해 먼저 옷 종류를 선택하게 하고 그 다음에 색상(분홍/하양/보라/파랑)을 선택하게 하여 일주일 옷차림을 완성하였다.

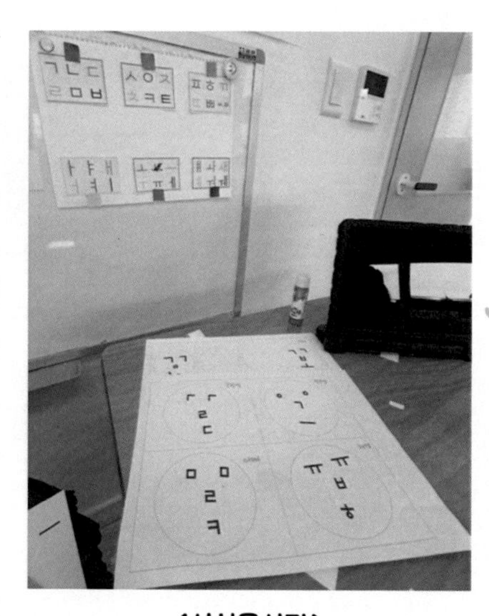

<시선응시판>

그림상징으로 의사 표현하기

초등학교 저학년 학생들을 가르치고 있는 특수교사이다. 매일 학교 일상에서 AAC를 수업에 적용하고자 노력했다. 아침마다 날씨 뉴스를 듣고 학생들에게 "오늘 날씨는 어떤가요?", "필요한 물건은 무엇인가요?"라고 질문한 후 학생이 태블릿의 상징을 누르거나 TV 화면에 있는 상징을 손가락으로 가리키며 의사를 표현하도록 했다.

〈그림상징 1〉

〈그림상징 2〉

〈그림상징 3〉

〈그림상징 4〉

그림과 사진 상징을 이용하여 우리 동네 마트와 빵집 이용 놀이도 하였다.

선생님의 소중한 선물

'너나우리 활동을 하며 학생에게 가장 필요한 의사소통이 무엇인지 깊이 고민해 볼 수 있었다. 학생의 의사소통을 고민한다는 것은 한 명을 깊이 이해하는 일이다.', '너나우리 선생님들이 매 순간순간 고민하시는 모습에서 많이 배우게 된다. 학생이 AAC의 활용으로 보다 나아졌다는 이야기를 들으면 뭉클해진다. 같은 곳에서 뜻이 맞아 함께 일하는 동료같이 느껴진다.' 너나우리 선생님들이 하반기 너나우리 활동을 하면서 느낀 점들이다.

너나우리의 도전은 계속된다.
학생의 웃는 얼굴, 밝은 목소리, 엉뚱하면서도 재밌는 말…
학생과 소통할 때 느끼는 모든 것이 선생님의 소중한 선물이다.

선물

나태주

하늘 아래 내가 받은
가장 커다란 선물은
오늘입니다.

오늘 받은 선물 가운데서도
가장 아름다운 선물은
당신입니다.

당신 나지막한 목소리와
웃는 얼굴, 콧노래 한 구절이면
한아름 바다를 안은듯한
기쁨이겠습니다.

팔레트가 그린 2023

모두가 함께하는 교실을 위해

팔레트 리더 설성정

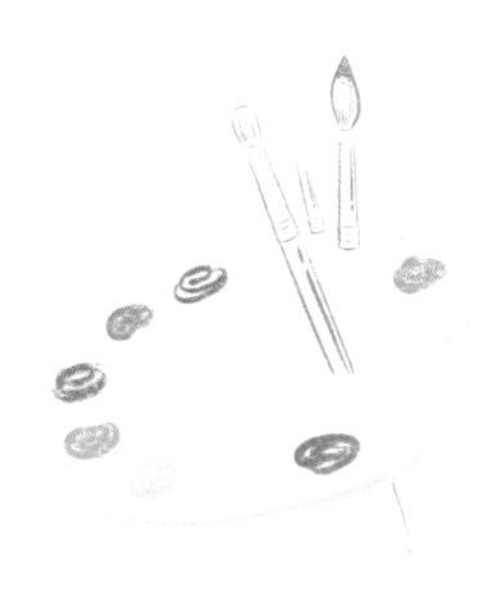

팔레트는요,

모두가 함께하는 교실을 위해 필요한 각종 시각 자료를 특수교사의 시선으로 그리고 나누는 일을 하고 있어요. 그럼, 팔레트가 그린 2023년을 소개합니다.

"2023년 팔레트 구성원"

2023년 팔레트 구성원은
1기 설성정, 1기 배래지, 3기 김솔이, 4기 송효은, 4기 이성희, 5기 정희진 선생님입니다.

"팔레트가 개발한 자료"

하나, 『DIY 노트북』

학급에 스마트폰이나 컴퓨터, 노트북, 태블릿과 같은 기계에 관심이 무척이나 많은 학생 한 명쯤은 꼭 있는데요. 애플 회사와 맥북, 아이폰을 가지고 싶다는 말을 입에 달고 살던 우리 반 아이. 이번 달 강화판을 모두 채우면, 맥북을 만들기로 약속했지요. 그렇게 노트북을 만들어보니 정말 다양하게 활용할 수 있어서 아이들과 상호작용하는 데도 정말 큰 도움이 되었습니다. 이 즐거운 경험을 함께하고자 팔레트가 준비한 자료는 'DIY 노트북'입니다.

실제 키보드와 비교해 가며 한글과 영어 공부할 때도 활용할 수 있고, 스마트폰 중독 예방과 디지털 성범죄예방교육을 할 때도, 사진 등 우리들의 추억을 게시할 때도, 우리 반의 규칙을 안내할 때도 활용할 수 있답니다.

자료가 궁금하다면 | https://bit.ly/팔레트_노트북

"팔레트가 개발한 자료"

둘, 『2024년 공룡 달력』

처음 만났을 때, 연필을 잡으면 공부시킨다고 연필도 잡지 않으려고 했던 우리 아이. 브라키오사우르스를 주겠다며 마카펜을 한 번 잡게 하고, 초식 공룡을 주겠다며 연필을 한 번 잡게 하며 그렇게 하나씩 하나씩 한글을 정복했다죠. 그러다 보니, 우리 아이는 글을, 교사인 저는 공룡을 서로가 서로를 가르쳐 주었던 소중한 기억을 담아 팔레트가 준비한 자료는 '2024년 공룡 달력'입니다. 공룡 달력은 학교 학사일정에 맞게 2024년 3월부터 2025년 2월까지로 구성했어요. 공룡 달력은 학생의 수준에 따라 3가지 버전이 있습니다. 직접 달력의 빈 숫자로 채워보고, 토요일은 파란색, 일요일과 공휴일은 빨간색! 상징색도 표현해 보고, 공룡도 색칠하고 이름도 써 보세요. 그다음 학생과 함께 학교 달력을 함께 살펴보면서 통합학급 행사, 현장체험학습, 방학, 졸업식, 우리 반 친구 ○○이의 생일 등을 표시해 보세요. 이외에도 숫자 공부, 달력 공부, 자기 점검 및 계획 등 다양한 교육활동과 연계할 수 있습니다.

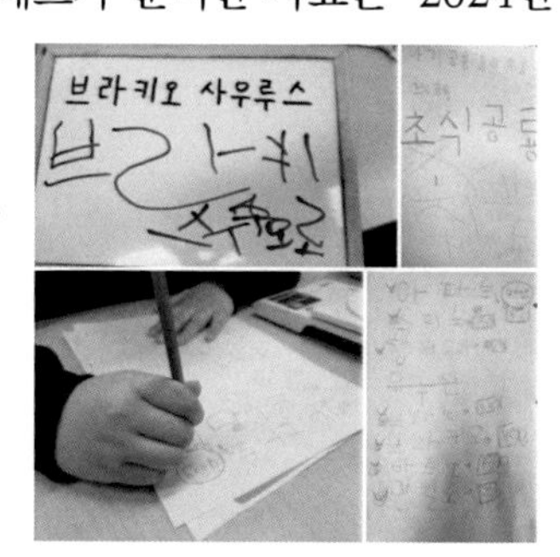

트리케라톱스

일	월	화	수	목	금	토
			6	7	8	2
3	4 입학식		3학년 1반 생일잔치		동아리 1	
			13	14	15	
10	11		한자리 모임 1			
			20	21	22	
17	18		학교폭력 예방교육		개별학습반 현장체험학습	
24	25	26	27	28	29	30
			한자리 모임 2		동아리 2	
31						

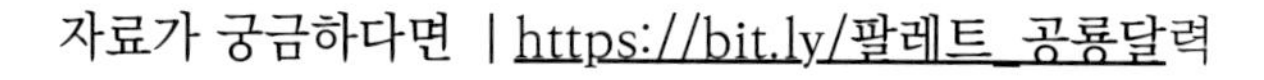
자료가 궁금하다면 | https://bit.ly/팔레트_공룡달력

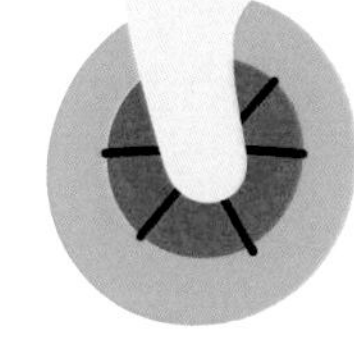

셋, 『어드벤트 달력』

서양에서는 성탄절이 있는 달인 12월이 되면 작은 선물이 날짜마다 들어있는 어드벤트 캘린더를 발매한다고 해요. 보통 1일부터 25일까지 날짜에 맞는 칸을 열면 랜덤하게 작은 선물이 들어 있는 방식으로 구성되어서 매일매일 새로운 선물을 받으며 성탄절을 기다리는 재미가 있습니다. 매일매일 오늘의 날짜 칸을 열며, 크리스마스와 겨울방학을 즐겁게 기다리자는 의미에서 팔레트가 준비한 자료는 '어드벤트 달력'입니다.

어드벤트 달력 도안은 학생의 수준에 따라 3가지 버전이 있습니다. 매일 하나씩 뜯다 보면 자연스럽게 숫자 공부도 달력 공부도 즐겁게 할 수 있답니다. 또, 겨울방학 일까지 연장하여 겨울방학 달력을 만들어 활용해도 좋아요. 날짜 상자 안에 아이들에게 힘이 되는 문구를 넣어둔다면, 자존감을 올리는데도 한글 공부를 하는 데도 도움이 될 것입니다.

초등학교에서 학생 참여 행사 이벤트를 할 때 팔레트 어드벤트 달력 도안을 활용했다는 후기를 받았습니다. 아이들이 원하는 번호를 고르면 안에 쪽지가 들어 있는데 쪽지에 어떤 크리스마스 선물을 받을지 적혀있어서 아이들이 정말 재미있게 참여했다고 합니다.

자료가 궁금하다면 | https://bit.ly/팔레트_어드벤트달력

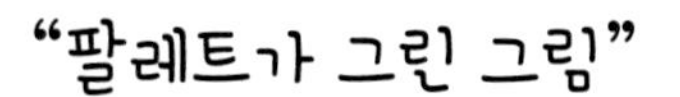

2023년에는 여러 사건의 연속으로 유독 선생님들이 많이 지치고 힘든 한 해를 보냈습니다. 그래서 선생님을 응원하는 마음을 담아 팔레트 구성원들이 자신만의 응원 그림을 그렸습니다.

"그림이 굿즈가 되다"

팔레트 선생님들의 그림을 마우스 패드로 만들었어요. SET-UP연구회 선생님들에게 하나씩 연말 선물로 드렸습니다. 우리가 직접 만든 선물을 나누며 따듯한 연말을 느낄 수 있었습니다.

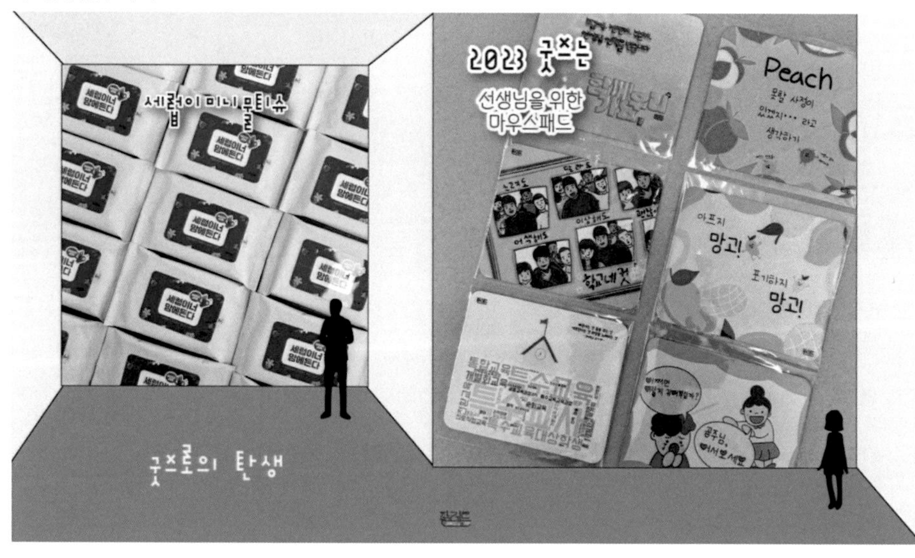

팔레트는 모두가 함께하는 교실, 학교를 위하여 앞으로도 작지만, 꾸준히 힘을 보태려고 합니다. 혼자 하면 막막하니, 함께 가요. 우리,

갖가지 색을 가진 우리 아이들과 선생님들을 언제나 응원합니다.
조금씩. 천천히. 꾸준히. 선생님 선택을 믿습니다.

떠나요!
모이세와 함께
제주도

모이세 남 기 화

1) 뜻을 함께하게 된 글로벌 이너피스

어느 날, 제주도 NGO 단체에서 특수교육 대상자를 위한 세계시민교육 자료 개발과 강의 요청이 들어왔으니 하고 싶은 모이세 선생님들은 신청하라고 했다. 제주도라니, 상상만 해도 행복하고 즐거운 장소가 아닌가. 한편으로는 걱정이 되기도 했지만 함께 손발을 맞춰온 능력자 모이세 선생님들과 함께이니 앞뒤 생각하지 말고 경험해 보자는 마음으로 신청했다.

글로벌이너피스는 국가, 인종, 종교, 정치적 이념을 초월한 글로벌평화교육(세계시민교육)과 국제 개발협력을 통해 지구촌 평화에 이바지하고자 하는 제주 기반의 비영리 시민사회단체입니다.

2) 두근두근, 준비 과정

우리는 먼저 줌으로 1차 회의를 시작했다. SDGs(지속가능발전목표) 기반으로 그 안에서 어떤 주제를 다룰 것인지 이야기를 나누었고 최종적으로 정한 수업 주제는 '물 부족'이었다. 제주도와 물을 어떻게 연관 지을 것인지, 지구 반대편에 사는 사람들의 물 부족을 어떻게 하면 와닿게 설명할 수 있을지에 대해 최지혜 선생님을 필두로 선생님들과 아이디어를 나누다 보니 금방 4차시의 주제가 만들어졌다. 짧은 시간 내에 4차시의 소주제가 만들어지니 신기하고 즐거웠다.

2차 회의는 서울에서 진행하였다. 서로 노트북을 들고 와서 각자 맡은 차시의 수업 내용과 진행 방향을 나누며 점검하고 피드백 받는 시간을 가졌다. 수업을 구성할 때에는 미처 생각하지 못했던 부분이 발견되었고 더 좋은 아이디어로 바뀌어나갔다. 예를 들어 학생들에게 더러운 물에 대해 어떻게 알려주면 좋을지에 대한 의견으로 실제 물에 냄새 나는 식초와 갈색빛이 나는 재료를 넣어 관찰하게 한다면 아이들의 더러운 물, 마실 수 없는 물에 대해 와닿을 수 있을 것 같다는 피드백이 나왔다.

흙, 식초, 세제 등을 넣어서 만든 물.
학생들에게 시각적, 후각적으로
모두 자극을 줬다.

역시 모이세와 함께하면
멋진 아이디어가 탄생한다!

2차 회의 이후, 중1 팀과 중3 팀으로 나뉘어 두 교실에서 수업하는 것으로 전달받았고, 정유진 선생님과 나는 중1 팀, 주소영 선생님과 최효언 선생님이 중3 팀을 맡기로 하였다. 따라서 선생님 한 명씩 2파트를 맡기로 변경되었으므로 각자 만든 차시의 스크립트를 만들어서 서로 공유하기로 하였다. 또 영지학교 학생들의 이름과 특징도 전달받았기에 꼼꼼히 읽어보고 활동지와 수업내용 수준도 약간씩 수정하며 제주도 갈 날을 기다렸다.

드디어 수업 전날 밤, 제주도 숙소에서 정유진 선생님이 만들어 온 예쁜 명찰을 받고 각자 만들어 온 활동지 인쇄물과 수업 준비물을 공유하니 이제 곧 영지학교로 가서 수업을 한다는 실감이 났다. 수업 당일 아침에는 카페에 가서 아침으로 커피와 샌드위치를 먹으며 몇 번이고 점검을 했다. 너무 긴장해서 커피와 샌드위치가 코로 들어가지는 입으로 들어가는지 모를 정도였다. 그토록 기다렸던 수업이지만 한편으로는 우리 반 학생이 아닌 다른 학교 학생들을 데리고 수업을 해야 한다는 생각에 설렘 반, 긴장 반으로 두근거리는 심장을 부여잡고 영지학교로 향했다.

3) 드디어, 제주 영지학교로!

제주 영지학교에 도착한 우리들은 긴장감을 잠시 내려놓을 만큼 제주 영지학교의 매력에 풍덩 빠져버리고 말았다. 알록달록한 색깔의 학교 건물들, 곳곳에 있는 돌하르방과 현무암들. 우리가 정말 제주도에 있는 특수학교에 와있다는 사실이 실감이 났다.

영지학교 건물 안으로 들어가니 귀여운 학생 한 명이 선생님과 함께 우리를 반갑게 맞아주었다. 영지학교의 선생님들과 글로벌이너피스 담당자분들과 인사를 나눈 뒤, 각자 팀끼리 교실 안으로 들어가서 수업 준비를 시작했다. 수업 준비를 하다 보니 하나둘씩 학생들이 도착했다. 얼굴과 이름을 확인하고 인사를 나누며 학생들의 컨디션을 확인했다. 학생들의 얼굴을 보니 반갑고 귀여우면서도 더욱 긴장이 되었다. 그렇지만 혼자 하는 수업이 아니라 짝꿍 선생님과 함께 하는 수업이라는 생각이 드니 든든했다.

1교시

1교시는 그림책 〈맑은 하늘 이제 그만〉을 통해 물 부족에 대하여 맛보기를 하는 시간이었다. 정유진 선생님이 밝은 분위기로 시작을 열었다. 맨 처음에는 퍼즐을 맞추어 표지 완성하기 활동을 하였는데 학생들에게 어렵지 않을까 걱정이 되었다. 하지만 웬걸, 한 명씩 나와 차근차근 맞춰보고 앞 친구가 잘 못 맞춘 퍼즐은 그 다음 순서 친구가 제자리 놓기도 하면서 생각보다 훨씬 빨리 퍼즐이 맞춰졌다. 퍼즐을 맞춘 뒤, 그림책은 빅북을 활용하여 읽어주었는데 아이들이 반짝반짝한 눈으로 집중해서 보기 시작했다. 심지어 굉장히 심취한 한 학생은 그림책을 소리 내어 읽기도 하였다. 책을 읽고 난 뒤에는 대한민국에 사는 맑음이네 가족과 아프리카에 사는 아리안네 가족의 물 사용하는 모습이 어떻게 다른지 비교할 수 있도록 퀴즈를 내어 진행하였다.

맑은 하늘 이제 그만

2교시

2교시는 나의 하루와 아프리카 친구들의 하루를 비교해 보는 시간을 가졌다. 더러운 물웅덩이 사진과 함께 미리 준비한 더러워 보이고 냄새나는 물을 학생들 앞으로 가지고 나왔다. 학생들에게 눈으로 색을 관찰하고 코로 냄새를 맡도록 하니 아이들이 인상을 찡그리며 어휴 한숨을 내쉬는 모습을 보였다. 아프리카에서 마시는 물이라고 하니 약간 충격을 받은 모습이었다. 이어서 나의 하루를 사는 집, 입은 옷, 화장실, 먹는 물로 소개하는 시간을 가졌다. 모두가 사는 집이 다르고 오늘 입은 옷이 다르지만 마시는 물은 다들 깨끗하다는 사실을 깨달을 수 있도록 하는 시간이었다. 우리는 깨끗한 물을 마시지만 실제 아프리카 친구들은 1교시에 읽었던 그림책처럼 정말 더러운 물을 마시고 있는지 동영상으로 확인해 보았다. 동영상을 보여주고 나니 한 친구가 중얼거리기 시작했다. 처음에는 혼잣말인 줄 알았는데 들어보니 뭔가 중요한 깨달음을 얻은 것 같았다. 귀 기울여 들어보니 "아프리카 친구들은 물이 부족해서 더러운 물을 마시고 있어요. 우리는 깨끗한 물을 함부로 쓰고요. 너무 마음이 아파요. 제가 사용하는 깨끗한 물을 아프리카 친구들에게 주고 싶어요" 대략 이런 말이었다. 아니, 그런데 이럴 수가! 이제 2차시를 가르쳐 주고 있는데 벌써 큰 깨달음을 얻은 친구가 나왔다. 심지어 이 친구는 처음 1차시를 시작하기 전에 뽀로로 피아노 장난감을 가져와서 그것만 계속 가지고 놀고 싶다며 수업을 듣는 것에 약간의 불만을 표현하던 친구였다. 수업을 듣는 둥, 마는 둥하는 모습이 보여서 걱정했는데 눈은 앞을 쳐다보고 있지 않았지만 귀는 1교시부터 2교시까지 누구보다 활짝 열려있었던 것이었다.

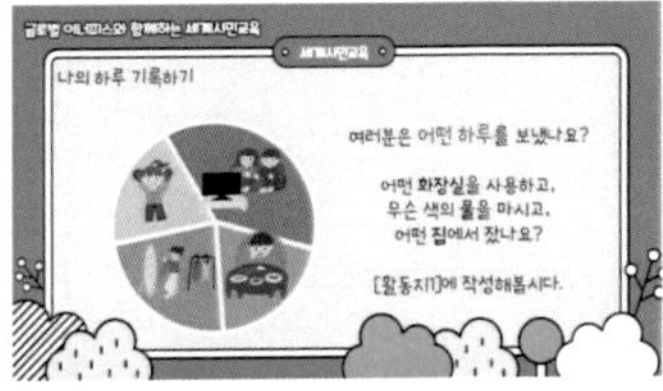

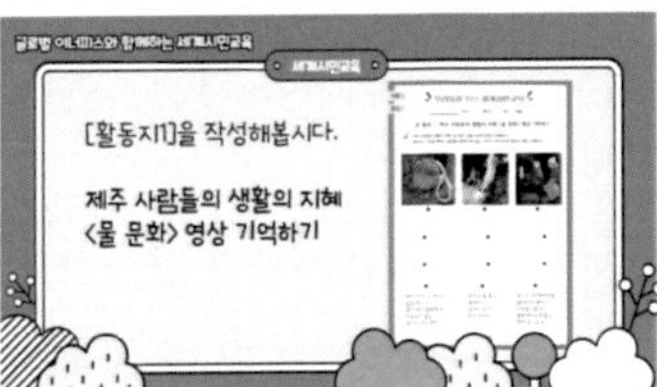

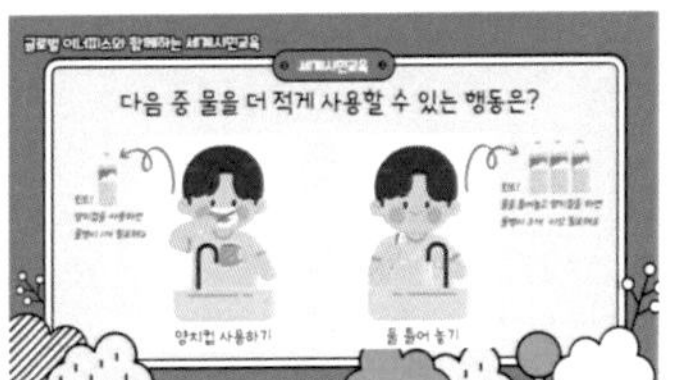

3교시

3교시는 제주도에 사는 영지학교 학생들을 고려해 과거 제주도의 물 문화에 대해 알아보고 다른 지역, 다른 나라에서 물을 쓰는 모습을 알아보는 시간을 가졌다. 제주 물 문화가 익숙하지 않은 우리는 수업 자료를 점검하는 시간을 가질 때, 단어가 너무 어려워서 아이들이 이해를 못 할까 봐 걱정을 했다. 그런데 웬걸, 아이들이 어려운 과거 제주 물 문화 단어들이 나열되는 영상도 집중해서 보고 활동지에도 단어들을 잘 썼다. 역시 제주도에서 사는 학생들이라 단어가 약간 익숙할지도 모른다는 생각이 들었다.

4교시

4교시는 물을 절약하는 방법에 대해 알아보는 시간을 가졌다. 우리가 하루에 물을 사용하는 양을 알아보고 우리가 하는 사소한 행동들이 얼마나 물을 낭비하고 있는지 알아보았다. 몇 L(리터)와 같은 수치는 아이들이 이해하기도 어렵고, 마음에 와닿지 않을 것 같았다. 그래서 2L 페트병의 크기를 실제로 보여준 뒤, 우리가 사용하는 물의 양을 2L 페트병의 개수로 표현해 주었다. 예를 들어 우리가 평소에 하는 양치질은 물이 페트병 3개 이상이 필요한데, 양치컵을 사용하면 페트병 1개의 양으로 줄어든다는 식으로 설명하였다. 다행히도 학생들이 잘 이해하는 것 같았다. 원래 계획은 물을 절약하는 방법에 대해 알아보고 실제로 물 절약을 실천하는 시간을 가지려고 하였다. 하지만 여러 가지 여건상 실천하는 시간을 갖는 것은 어려움이 있을 것으로 생각되어 학교와 집에서 실천하고 싶은 물 절약 방법을 쓰고 다짐해 보는 시간을 갖는 것으로 활동을 변경하여 진행하기로 하였다. 활동이 변경되어 아이들이 실천하는 방법에 대해 멀게 느껴지면 어쩌지라는 걱정이 되었다. 하지만 막상 아이들이 앞에 나와서 신나게 다짐하는 모습을 보니 안심이 되었다.

4) 수업을 마무리하며

사실 특수교사이지만 특수학교에서 근무한 경험이 없어서 걱정이 많았다. 다행히 특수학교 근무 경험이 많은 짝꿍 선생님이 계셔서 순간순간 도움을 많이 받았다. 특수교사로 일하면서 다른 교사와 함께 서로의 수업을 본다는 것, 서로의 수업을 함께 해나간다는 것은 평생에 있을 수 없는 일이었다.

또, 모이세를 하면서 선생님들과 함께 수업 자료를 만들고 배포한 적은 있었지만 우리 반 학생들을 제외한 다른 학교 학생들과 선생님들의 반응이 항상 궁금했었다. 배포된 수업자료를 다른 선생님들은 어떻게 수업에 적용했을지, 학생들의 반응은 어땠을지, 어떤 부분이 아이들에게 자극을 주었고 어떤 부분이 아이들에게 어려웠는지 등등 궁금한 점이 많았다. 이번 기회를 통해 내가 직접 다양한 특성을 가진 다른 학교 학생들에게 수업해 보고, 다른 선생님께서 수업하는 모습을 보면서 수업 자료와 내용, 그리고 나의 수업 지도 방법에 대해서도 많은 깨달음과 피드백을 얻은 소중한 시간이었다.

특히, 일반학교에 다니는 학생이든, 특수학교에 다니는 학생이든 간에 장애 정도와 상관없이 우리 아이들에게 세계시민교육을 가르치는 것은 당연한 일이고 이것을 이해할 수 있을까 없을까라고 미리 의심하고 두려워하기보다는 다양한 방법과 내용으로 시도한다면 조금이라도 아이들의 삶에 도움이 될 것이라고 생각이 들었다.

안녕 영지학교!

2023
Study-log

장애학 스터디 유닛 위드 멤버들

1월, 여는 모임

기존 멤버들과 5기 새 멤버가 함께, 총 11명이 모여 시작한 1월의 첫 모임. 나는 어떤 사람인지, 어떤 특수교사인지. 그리고 나에게 위드는 어떤 의미인지, 어떤 기대를 가지고 있는지, 새해의 계획은 무엇인지 질문하면서 시작했습니다.

여느 때와 같이 모두의 의견을 모아 패들렛에서 추천하고 공감하면서 투표로 올해의 북스터디 책을 선정하기로 했어요. 작년 패들렛에 모은 기록을 책으로 엮어봤는데, 그 때 느꼈던 뿌듯한 마음을 떠올리며 올해는 꼭 매달 스터디에 참석하기 전에 패들렛에 책을 읽은 감상이나 발제자의 질문에 대한 답을 남기기로 다짐도 해봤습니다.

방학 시간을 활용하여 대면 모임을 추진해보자는 의견도, 작년과 같이 북토크나 공동체 상영과 같은 행사를 열어보자는 의견도, 장애학생들에게 필요한 교육 자료를 만들어보자는 의견도 나누며 2023년 한 해의 여정을 열었습니다.

2월, '나는' 괜찮지 않아도 괜찮아

비장애형제 모임 '나는'에서 나누었던 비장애형제들의 이야기를 책을 통하여 간접적으로 경험하고 알 수 있었습니다. 우리가 장애인들에게 관심을 갖고 교육하는 것에 집중 할 때 비장애형제를 생각할 수가 없었습니다. 최근 부모 교육의 중요성이 대두되면서 부모교육에 관심을 갖을 때도 비장애형제를 생각할 수 없었습니다. 하지만 비장애형제들은 그 안에 있었고 앞으로도 계속 있습니다.

책에서 소개된 6명의 비장애형제의 상황은 각각 다릅니다. 장애형제의 장애 유형, 정도도 다르고 부모님이 주는 부담도 다르고 그 부담을 받아들이는 모습조차도 전혀 다릅니다. 그동안 우리가 장애인과 그들의 부모에게 지원해 주는 것과는 전혀 다른 관심과 지원이 필요함을 느꼈습니다.

어쩌면 필요한 지원을 찾기 어려워 시간이 오래 걸릴지도 모르지만 그럼에도 앞으로 비장애형제에 대한 관심이 지속되길 응원하고 지지합니다. 마지막으로 부모님이나 장애형제를 위한 삶을 사느라 지치고 힘든 비장애형제가 있으시다면 남을 중심에 놓고 살던 삶에서 '나'를 삶의 중심에 두기 위해 노력하는 용기를 가지시길 원하고 바랍니다.

방근영

3월, 자폐의 거의 모든 역사(1)

스터디를 위해 책을 주문했는데, 아주 두꺼운 벽돌 하나가 배송 왔습니다. 책의 두께를 보며 "허허..." 웃음이 났습니다. 위드가 세 달간 함께 나눌 책, 「자폐의 거의 모든 역사」를 만나게 된 날이었습니다. 우리는 첫 모임에서 1930년대부터 1990년대까지의 '최초의 자폐아'에 대한 이야기, '비난 게임'이 난무했던 시대의 이야기, '수용시설의 종말'을 보여주는 이야기들을 살펴보았습니다. 이 책을 읽으며 '나의 자폐의 역사'에 대해 생각해보게 되었습니다. 나는 자폐인을 언제 최초로 인식하였는가, 나의 최초의 자폐인은 누구였는가. 그리고 나는 그 자폐를 어떻게 인식하였는가, 지금 나의 인식까지 나는 어떤 변화를 거쳤는가. 자폐의 역사와 나의 개인사는 어떻게 연결되어 있는가 돌아보게 되었습니다.

내가 최초로 자폐를 인식한 시기가 길어야 20년 정도밖에 되지 않는데, 책에서 설명한 그 역사들을 N배속으로 빠르게 거쳐온 듯한 느낌이 들었습니다. 부끄럽게도 최초에 내가 갖고 있던 선입견들이 1930~1960년대의 관점과 다르지 않아 보였습니다. 꾸준히 관심 갖고 공부하지 않았다면 나의 인식은 약 100년 전의 사람들과 다르지 않을 수도 있었겠다는 생각에 아찔하기도 했습니다. 자폐의 역사는 흐르고 있지만 어쩌면 각자의 역사 안에서 자폐에 대한 인식이 누군가는 1950년대에, 누군가는 1990년대에, 누구는 오늘날에 머무르고 있을 것입니다. 하지만 개인의 인식을 넘어선 자폐의 역사가 총망라되었고, 나에게는 동료들과 자신을 훑어보며 패러다임의 전환을 가속화 시킬 힘이 있다는 것입니다.

"자폐는 어떻게 질병에서 축복이 되었나" 그 질문을 이정표 삼아 '자폐' 이전에 '한 사람'을 존재 자체로 사랑하는 일까지의 여정을 함께 한 위드에게 감사합니다.

4월, 자폐의 거의 모든 역사(2)

「자폐의 역사 4~7부」 자폐를 본격적으로 직면하고 나아가기 위한 분투의 나날들이었던 50년대에서 90년대까지의 시간으로 들어가 보았습니다. 행동이 분석되기 시작하면서 행동 교정을 목적으로 여러 비윤리적인 행위들이 이루어졌으며, 〈장애아동교육법〉에서 공립학교가 교육받기를 원하는 모든 장애 어린이에게 적절한 교육을 제공해야 한다고

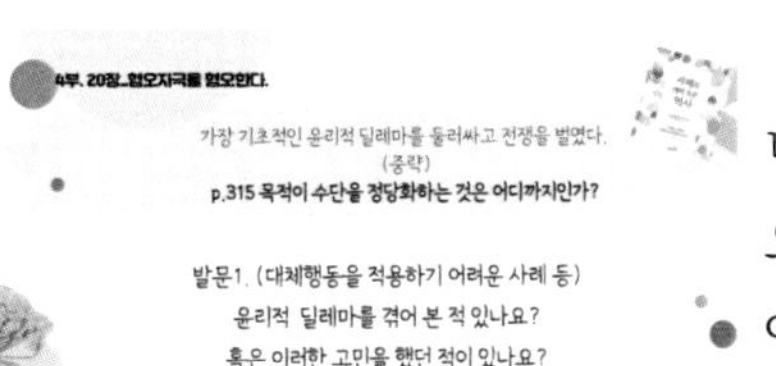

규정함으로써 사상 최초로 자폐증을 장애의 한 범주로 명시하게 됩니다. 또한 시각이 변화하면서 자폐의 정의가 여러 번 여러 번 재정의 되었습니다. 우리는 이러한 부분을 놓치지 않고, 학교 현장에서 만날 수 있는 여러 가지 윤리적 딜레마에 대해 나누어 보았습니다. 교육 현장에서 목적이 수단을 정당화하는 수많은 순간들에 대해 나누며, 서로를 위로하였습니다. 그리고 딜레마에 빠지지 않고 이들을 잘 지도하기 위해서는 항상 고민하고 협의하는 과정이 필요하다는 것을 다시 한번 깨닫고, 앞으로도 위드가 함께 나아갈 길을 응원하였습니다.

또한 우리가 현재 서 있는 곳이 지난한 역사 속, 수많은 사람들의 노력 위인 것을 다시 한번 기억하고 언젠가는 그 누구도 분류되지 않는 미래가 오기를 꿈꿔보았습니다.

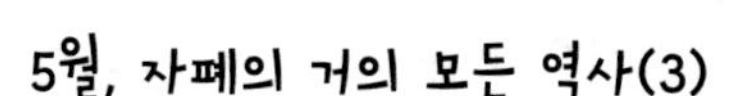

5월, 자폐의 거의 모든 역사(3)

드디어, 자폐의 거의 모든 역사가 마무리되는 시간, 5월이 되었습니다. 나눔을 이어온 3개월간의 시간은 마치 자폐가 질병에서 축복이 되기까지 겪었던 과정들과도 같았습니다. 자폐증을 바라보는 나의 시선은 어떤 방향일까... 지금도 온갖 방법들이 시도되고 있는 현실 속에, 내가 만나는 학생들과 보호자에게 어떠한 방향성을 가지고, 어떤 교사의 역할을 수행해야 할까? 과연 내가 그 시대에 살았더라면 나는 그것을 하지 않을 수 있었을까?를 나누며 우리는, 결국 학생을 중심에 두고 학생을 소중한 인격으로 바라보는 것에서 시작하자고, 이젠 우리가 적응하는 법에 에너지를 더 써보자 다짐했습니다. 길었던 여정은 마음을 울린, 밑줄 쳐진 문장들로 가득찼던 페이지들을 기억하며 "나에게 자폐증(자폐인)은 ( )이다."를 이야기하는 것으로 마무리하였습니다.

나에게 자폐증(자폐인)은 사랑이에요.
나에게 자폐증(자폐인)은 시원함이에요.
나에게 자폐증(자폐인)은 퍼즐이에요.
나에게 자폐증(자폐인)은 우리 중 하나.
공동체의 일부에요.

6월, 짐을 끄는 짐승들(1)

'어떤 앎은 나에게 들어와 차곡차곡 쌓이고, 어떤 앎은 내가 쌓아온 세계를 한 방에 무너뜨린다." 홍은전의 추천 글이 좋아서 몇 번을 곱씹는다. 언젠가부터 노랑은 나에게 한쪽 마음을 아리게 하는 색이 되었는데 6월에 만난 노란 책은 그저 아련함으로는 안된다고 말하는 것 같다. 책장을 여는 순간 내가 쌓아온 세계를 무너뜨려야 한다. 책 속에서 작가는 〈to us 우리에게〉 장애를 가진 존재에게 말 거는 대신 〈for us 우리를 위해〉 말할 수 있다고 생각하고 당사자가 아닌 그들을 잘 알고 그들의 이해관계를 잘 아는 사람들에게 말 거는 것 그리고 인간임을 드러내는 특성 중 언어를 중요하게 여기며 말 못하는 동물에 대한 억압을 합리화하는 축산을 다시 바라보도록 일깨운다. 우리는 장애를 통해 우리가 당연하게 받아들인 것들을 다시 생각하게 된다. 우리의 이성, 우리의 움직이는 방식, 우리가 세계를 지각하는 방식을 그리고 위드와 함께 한 장애는 우리가 어떻게 서로를 돌보는지 우리가 어떤 사회에 살고 싶은지 생각해 볼 수 있는 새로운 패러다임을 제시한다. 또 우리에게 들어와 차곡차곡 쌓인다.

유진경

7월, 짐을 끄는 짐승들(2)

'인간답게 살기를 외치는 사람들' 과 '착취의 대상이 되는 동물들' 의 교집합 속에서 사회의 부조리를 마주하게 되는 책, 짐을 끄는 짐승들. 어렵기도 했지만, 쉬이 넘길 수 있는 페이지가 없어서 오랫동안 가방 속에 넣고 틈날 때마다 보았다. 그리고 마지막 페이지까지 읽은 후 우유를 끊었고 한 달동안 육식을 하지 않았다. 고기 굽는 냄새가 역해서 속이 매슥거렸다. 하지만 한 달 후 나는 다시 고기를 먹었고 우유를 마셨다. 앎이 삶으로 이어지는 건 말처럼 쉽지 않았다. 장애를 가진 아이들을 만나는 '나'도 마찬가지다. 장애인식개선 교육에서는 모두의 다름을 인정하고 상호의존적인 사회를 만들어야 한다고 이야기

하지만 정작 우리 반 아이들에게는 학습 능력을 향상하기 위해 오늘도 덧셈, 뺄셈, 나눗셈, 곱셈을 수십번 반복한다. 우리 반 아이들에게는 상호의존의 관점보다 비장애중심적인 시선으로 사회에서 제 몫을 하지 못할까 봐 전전긍긍하고 있다. 작가는 이런 모순적인 시선, 부조리한 사회의 문제를 콕콕 짚어주며 장애 학과 동물해방운동의 교집합 부분인 비장애중심주의 타파, 상호의존성의 가치를 외치고 있다. 언제쯤 장애를 가진 아이들이 능력을 키우려 전전긍긍하지 않고 존재만으로 제 몫을 다하는 사회가 올까? 우리는 어떤 노력을 해야 할까? 책을 읽으면 읽을수록 고민이 쌓여간다. 쌓여가는 고민만큼 우리의 앎이 삶으로 이어지길 바란다.

8월, 공동체 상영

작년에 이어 '인디그라운드'의 공동체 상영 지원을 통해 모임을 준비했습니다. 올해는 행사 준비와 운영에 필요한 일들을 하나하나 나누어 모두의 손길을 모아 함께 준비했어요. 위드의 멤버들과 한 분의 초대손님, 촉촉하게 비가 내리는 여름날 서울 신림의 어느 공간에서 만났습니다.

소소하게 준비한 간식을 나누며 장애를 다룬 독립영화 3편, 〈다운〉, 〈도시락〉, 〈양림동 소녀〉를 함께 보았어요. 공교롭게도 장애인의 탄생, 성장기, 그리고 노년기에서 인생을 돌아보는 내용을 다룬 영화들이었는데요, 우리 사회의 현실과 만나고 있는 학생들의 얼굴을 떠올리게 했습니다. 짧은 영화 사이사이에 나눌 감상과 질문들이 어찌나 많던지, 시간 가는 줄 몰랐답니다.

내년에는 또 어떤 영화들을 만나게 될까요? 어떤 손님들과 어떤 이야기들을 나누게 될까요? 벌써 기대가 됩니다.

*공동체상영 후기는 셋업 블로그에서 만나볼 수 있어요!
https://blog.naver.com/setup0621/223196961539

8월, 교육자료 개발 project

여름방학 시간을 활용해 도전해보는 교육자료 개발 project! 작년에 통합 학급 학생들 또는 일반인에게 활용하는 것을 목표로 '장애공감교육자료' 4편을 개발했었는데요, 올해는 장애학생들을 위한 교육자료를 만들어보자!는 기획으로 모임을 시작했습니다.

유엔에서 제작하고 한국장애인개발원에서 번역하여 배포한 '장애를 겪고 있는 소녀, 소년, 청소년으로서 나의 보호, 행복, 그리고 성장을 위한 10가지 원칙'이라는 자료를 만났고, 이를 수업에서 더 풍성하게 활용할 수 있게 하는 아이디어를 함께 소개하기로 했어요.

총 4명의 선생님이 함께 했어요. 자료의 원문이 되는 장애인 권리협약, 아동권리협약을 먼저 살펴보았고, 번역된 국문본을 더 입에 붙는 소리로 변환해봤습니다. 그리고 현장에서 활용해볼 수 있는 수업 아이디어를 연구하여 함께 제시했어요.

우리 학생들이 스스로의 권리를 알고, 적절한 상황에서 자신의 권리를 주장하고 지켜낼 수 있기를 바랍니다.

*교육자료개발 프로젝트의 결과는 셋업 블로그에서 만나볼 수 있어요!
https://blog.naver.com/setup0621/223308531994

9월, 아픔이 길이 되려면

뜨거운 여름의 열기가 지나갈 즈음, 우리에게 마음 아픈 이야기들이 가득 들려왔습니다. 우리의 공동체는 안녕한가?, 우리의 공동체는 건강한가?, 이대로 괜찮을까? 많은 생각을 하게 되는 시기였습니다. 그 때 우리가 함께 만난 책이 바로 「아픔이 길이 되려면」 이었습니다. 이 책을 읽고 아픔이 반복되지 않도록 하는 길은 어떻게 해야 하는지 이야기를 나누어 보았습니다.

우리는 알게 모르게 차별과 폭력을 매 순간 느끼고 있었습니다. 그럼에도 불구하고 우리의 자리를 지키고자 '내'가 경험하고 있는 차별과 폭력을 묵인하고 있었습니다. 위드 선생님들과 함께 이야기를 나누며 상처로 새겨진 서로의 마음을 함께 보듬고자 했습니다.

더 나아가 내가 속한 공동체가 안전하지 않다면, 우리는 어떤 공동체 안에서 건강할 수 있고, 건강한 공동체가 되려면 우리는 무엇을 해야 할지 고민해보았습니다. 그렇게 우리는 우리 자리에서 할 수 있는 일들을 하나씩 해나가며 타인의 고통에 예민해지고, 응답하는 것에 이야기 나누었습니다.

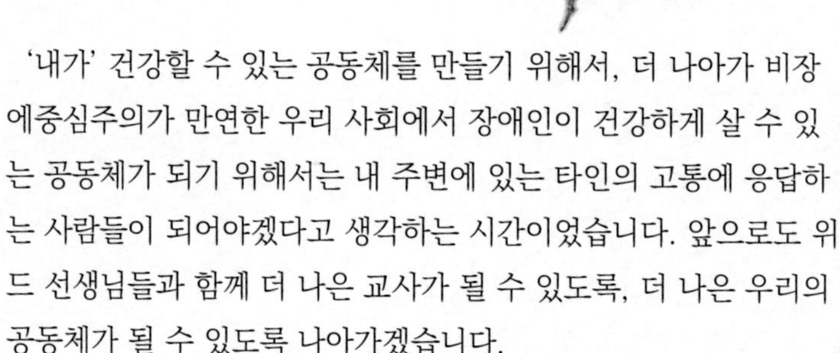

'내가' 건강할 수 있는 공동체를 만들기 위해서, 더 나아가 비장애중심주의가 만연한 우리 사회에서 장애인이 건강하게 살 수 있는 공동체가 되기 위해서는 내 주변에 있는 타인의 고통에 응답하는 사람들이 되어야겠다고 생각하는 시간이었습니다. 앞으로도 위드 선생님들과 함께 더 나은 교사가 될 수 있도록, 더 나은 우리의 공동체가 될 수 있도록 나아가겠습니다.

10월, 자본주의와 장애

「자본주의와 장애」는 뇌성마비 장애 당사자인 미국의 활동가 마타 러셀이 집필한 저서로 기득권의 착취와 배제에 맞선 자본주의 사회 속 장애인의 위치와 현실 그리고 분투를 보여 주고 있는 책이다.

10월의 모임에서는 책에서 언급된 '풀뿌리 사회 변화 운동'을 통해 내가 경험한 값진 풀뿌리 사회 변화 운동에 대하여 나누어 보았다. 나눔을 통해 특수교사로 지금 우리가 있는 곳에서 각자 하고 있는 모든 일들이 장애인을 위한 풀뿌리 사회 변화 운동이며 우리는 이런 값진 일을 계속 이어 나갈 것을 다짐하는 시간이 되었다. 그리고 책을 통해 '노동'의 가치에 대하여 다시 생각해 보는 시간을 가졌다. 노동이 무엇이라 한 단어로 정의하기는 어렵지만 개인의 상황과 의지에 따라 사회적 역할 가치를 이룰 수 있다면 그것이 노동일 수 있다는 의견을 나누며 우리도 장애인의 소중한 노동의 가치를 다시 한번 생각하는 계기가 되었다.

11월, 유언을 만난 세계

「유언을 만난 세계」는 '장애해방열사, 죽어서도 여기 머무는 자 '라는 작은 제목과 함께 시작합니다. 영웅들의 이야기가 아닌 '우리들'의 이야기. 아니, 어쩌면 '우리들'의 얼굴을 닮았지만, 실은 '우리' 바깥으로 내몰린 사람들의 이야기인지도 모르겠습니다. 이제는 세상을 떠난 장애해방 운동의 주인공과 그들의 이야기를 만나 보았습니다.

유언을
만난 세계

장애해방열사,
죽어서도 여기 머무는 자

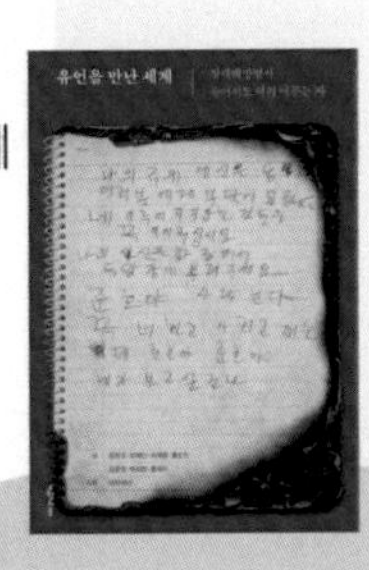

책을 읽는 내내 눈물도 흘리고 속상했다가 분노했다가 문득 아련해지곤 했습니다. 지난 세월에 담긴 투쟁과 운동의 과정을 오늘날 내 학교 현장에 어떻게 적용할 수 있을까 함께 고민했습니다. 또 '그럼에도 불구하고' 우리가 투쟁을, 교육을 이어 나가게 하는 힘은 무엇인지도 나누었습니다. 그러다가 화나고 슬픈 이야기를 화나게만 혹은 슬프게만 받아들이지 않게 하는 힘은 어디에서 나올까 생각했습니다.

"연대"가 아니었을까요? 혼자 시작하지만 많은 사람들이 함께할 것이라는 믿음으로 천천히 떠밀린 그들의 삶을 다시금 떠올리며, 모퉁이로 내몰린 삶이 아닌 이 가운데 함께한다는 믿음이 모두에게 힘을 주었던 시간이었습니다. 책에 담긴 짧은 문장을 하나 함께 나누고 싶습니다. "해방은 도래하는 것이 아니라 매일 새로운 이야기를 써나가는 것이다." 위드에서 함께하는 시간이 그렇듯, 서로에게 보내는 응원의 힘으로 선생님들과 함께 나아갑니다.

김솔이

12월, 위드 송년회

다같이 모이지 못한 여름의 모임이 못내 아쉬웠던 우리는, 다시한번 대면 모임을 추진합니다. 특별히 올해는 우리와 모든 특수교사들에게 위로와 연대가 더 많이 필요했다고 생각되는데요, 우리의 1년을 돌아보고 새해를 준비하는 힘을 채워보자는 의미로 송년회를 준비했어요. 함께 쓴 필사 이미지를 엮어 만든 미니 엽서북, 그리고 연말에 함께한 장애열사들의 정신을 기억하는 의미로 함께 구입한 장애해방 열사달력을 나눠가질 예정입니다.

셋스칼라가 있는 12월, 전날 뜨끈한 온돌방에 모여 맛있는 음식과 따스한 수다를 나누며 회포를 풀기로 합니다. 한참 전부터 숙소를 예약하고, 할일을 그려보고, 장보기를 준비하는 마음이 얼마나 설레던지요.

위드의 2023은 어떻게 정리될까요?
그리고 위드의 2024는 어떻게 시작될까요?
새해에 이어질 위드의 이야기도 함께해주세요!

「유언을 만난 세계」를 읽고 나누었던
어느 밤의 필사 중에서

어떤 이가 죽어서도 이곳에
머무른다는 것은 어떻게 가능할까.
그가 우리 곁에서 살아간다고 말하
려면, 우리는 삶이 무엇인가에 관해
답할 수 있어야 한다.
인간의 삶은 관계를 통해 확인된다.
상호작용 속에서 서로가 쉼 없이
변화하고 있을 때,
우리는 살아있다고 말할 수 있다.

유언을 만난 세계

혁명, 혁명하라
새는 알에서 나오려고 싸운다.
알은 새의 세계다.
태어나려는 하는 자는
그 세계를 파괴하지 않으면 안 된다.
과거 없는 오늘이 있을 수 없고
오늘이 없는 과거가 있을 수 없다.

「유언을 만난세계
- 여덕인의 일기-」

지금은 혼자 시작하지만
많은 사람들이 함께할 것이라는
그의 믿음은
천천히 우리를 떠밀어왔다.

-「유언을 만난세계」

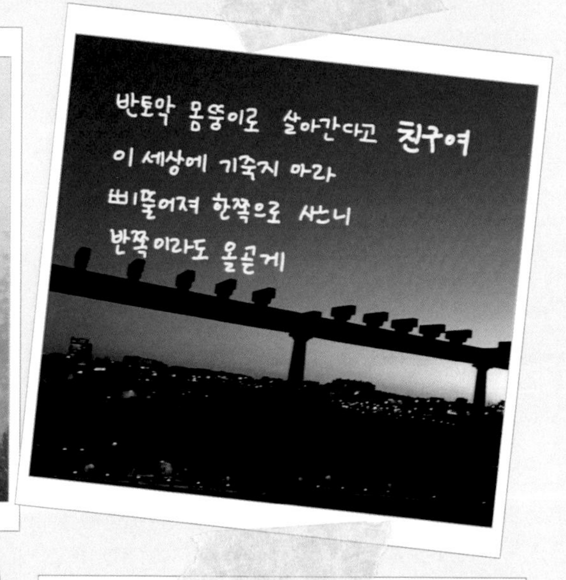

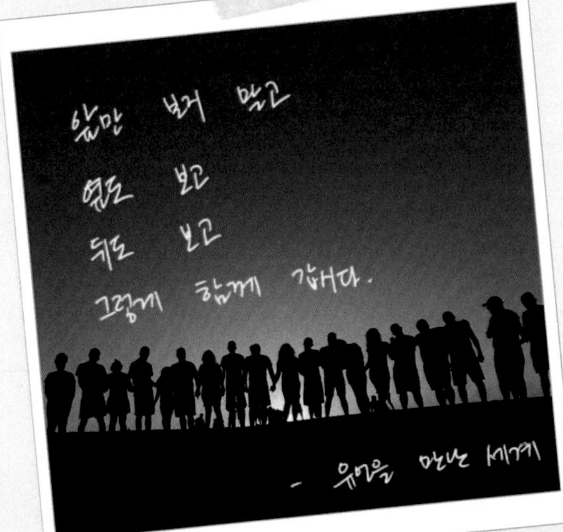

더디지만 서서히 우리는 다져지고
강화될 것이다.
삶의 고달픔과 회의감 속에서도
우리의 역량은 서서히 자랄 것이다.
장애의 아픔과 시대의 아픔에 공감하면서
선진된 의식과 번민 없는 실천력을 지니게 될
것이다.
껍질깨는 아픔을 동반하며

-싹틈 소식지 5호

그림책 활용 교육 유닛

지그재그

이럴 땐? 이런 그림책!

이럴 땐? 이런 그림책!

이미화

김장성 작가는 「사이에서, 그림책 읽기」에서 그림책은 '사이'의 예술이라고 표현했다. 글과 그림 사이, 장면과 장면 사이, 관념과 표현 사이, 내용과 형식 사이, 어른과 아이 사이, 상상과 현실 사이… 짧은 이야기와 페이지마다 펼쳐지는 그림 속에는 무수한 '사이'가 존재하고 그것은 우리의 삶에 질문을 던지는 동시에 답을 어렴풋이 보여주기도 한다. 그것을 발견하는 재미에 그림책을 계속 집어 들게 된다.

교실에서도 그렇다. 아이들과 나 사이, 아이와 아이 사이, 아이와 부모 사이, 우리 반과 통합반 사이, 진실과 거짓 사이 등 여기저기 틈이 벌어지면 그 속을 함께 들여다 보자고 그림책을 펼칠 때가 있다. 그림책을 함께 읽으면 무슨 일인지 알 수 없던 상황을 이해하게 되고, 기분 나빴던 일이 별거 아닌 일이 된다. 지루하고 어려워서 하기 싫던 수업에 활기가 생길 때도 가끔 있다.

지그재그 선생님들의 교실 속 '이럴 땐? 이런 그림책!' 이야기로 여러분의 교실 속 '사이'도 함께 읽어보길 바란다.

마음에 위로가 필요할 땐? 그림책 「아기 구름 울보」

이복음

"쉿, 뚝! 울면 과자 없다, ~못 한다." 내가 자라면서 울었을 때 주변 어른들의 반응은 대체로 이러했다. 나이가 들면서 맘껏 울어 본 적이 있던가? 생각해보면 숨어서, 때로는 눈물만 뚝뚝 울었던 적이 더 많았다. 그래서인지 교사가 되어서도 우는 아이에게 한껏 진지한 표정으로 엄지손가락을 입술에 갖다 대고, 고개를 좌우로 흔들며 "조용, 울지 않습니다. 말로 해야 무엇을 원하는지 알 수 있어요."
라고 말하며 단호하게 대하는 편이었다. 적어도 이 책을 만나기 전까지 그랬다. 아기 구름 울보에서 아기 구름이 눈물을 꾹꾹 참아내다가 "으아앙"하고 우는 장면이 있다. 실감 나게 느낄 수 있도록 진짜 우는 것처럼 엉엉 소리를 내며 읽어주었다. 그 순간 평소에도 눈물이 많던 아이가 감정이입이 되었는지 눈물을 뚝, 뚝 흘리고 이내 왈칵하고 쏟았다. 나는 당황했지만, 책으로 얼굴을 가려준 후 그 아이가 마음을 추스를 때까지 기다려 주기로 했다. 한참을 책 속에 묻혀 울다가 기분이 한결 나아졌는지 말을 걸어왔다. "선생님, 저 이제 기분이 괜찮아졌어요. 책 더 읽고 싶어요." 평소에는 눈물에 인색한 나였는데, 이 책을 읽으면서, 이 아이의 스스럼없는 감정 표현을 통해 우는 아이를 대하는 태도가 달라졌다.
나는 이제 아이들에게, 나 자신에게 이렇게 말한다.

"맘껏 울어도 괜찮아. 기다려 줄게. 울고 싶은 만큼 실컷 울어도 돼!"

잃어버린 동심을 찾고 싶을 땐? 그림책 「눈아이」 권경은

눈이 오면 아이들의 눈은 반짝이는 반면, 나의 눈은 공허해진다. 돌아갈 길을 생각하며 나오는 소리 없는 한숨은 이제 나도 진정 어른이 되었다는 것을 증명하는 듯하다. 새하얀 눈을 보며 우리 아이들의 마음이 들썩이기 시작하면 자연스럽게 수업을 마무리할 수 밖에 없다. 아이들은 "눈사람 만들어요. 눈 천사 만들어요." 하며 나의 손을 이끈다. 그럴 때면 나는 아이들의 관심을 따라가기 위해 얼른 잃어버린 동심을 찾아야만 한다.

그럴 때 아이들과 읽으면 좋은 그림책은 「눈아이」이다. 아이가 자신이 만든 소중한 친구 '눈아이'와 함께 시간을 보내는 그림책이다. 가만히 그림책을 읽다 보면 뽀득뽀득 새하얀 눈을 밟는 기분이 들며 나도 같이 눈 위를 서성이는 것 같은 기분이 든다. 그리고 어느새 어린아이의 마음으로 돌아가 아이들과 함께 눈을 맞기 위해 손을 뻗고 있는 나를 볼 수 있다.

진짜 나를 찾고 싶을 땐? 그림책 「진짜 내 소원」 주소영

'다른 애들처럼 왜 못하니?' 콕콕 가시 돋친 말만 듣다가 올해 우리 반에 찾아온 학생이 있다. "선생님, 모르겠어요." 분명 방금까지 내가 바라보고만 있어도 수학 문제를 술술 풀던 아이가 혼자서 풀게 하니 우물쭈물 아무것도 하지 못한다. 선생님의 시선만으로도 아이한테 문제를 풀 수 있는 힘을 주는 걸까? 언젠가부터 혼자서 문제 푸는 용기를 모두 빼앗겨버린 아이가 안쓰러웠고, 그 용기를 빼앗아간 이에게 화가 났다. 공부를 잘하고 싶다고 이야기하는 학생에게 수학책을 덮어버리고 그림책 「진짜 내 소원」 처방을 내렸다. "공부를 잘하고 싶은 건 OO이 소원이 맞을까? OO이가 진짜 좋아하는 건 뭐야?" 공부를 잘하고 싶다는 건 가짜 소원이고, 자신의 소원은 숙제가 사라지고 자신이 좋아하는 리듬체조를 마음껏 하고 싶다며 웃는 아이의 모습이 2학년답게 사랑스럽다. 틀린 건 제대로 공부할 수 있는 기회가 온 거라고, 선생님이 다시 용기를 찾을 수 있도록 도와주겠다고 약속했다. 곧 다가올 크리스마스 선물로 공부를 잘했으면 하는 부모님의 소원이 아닌 자신만의 진짜 소원과 용기를 되찾을 수 있는 힘을 학생에게 선물해주고 싶다.

응원이 필요할 땐? 그림책 「하늘을 날고 싶은 아기 새에게」 김진경

각자의 방식으로 알을 깨고 나온 이제 갓 태어난 작은 아기 새들이 있다. 하늘을 날고 싶은 아기 새는 여러 방법으로 날아 보려 애를 쓴다. 그러다 넘어지기도 하고, 누군가를 부러워하기도 하고, 두려워 떨기도 한다. 아기 새의 모습을 보며 나의 모습을 떠올린다. 차마 부끄러워 말하기 어려운 이야기, 때로는 너무 무거워 말할 수 없는 이야기가 있을 때 '용기와 응원이 필요할 때' 그때 이 책을 펼쳐보아야겠다.

왼쪽엔 짤막한 글, 오른쪽엔 그림이 있다. 수채화 그림이 마음을 말랑하게 만들어준다. 표지의 아기 새가 하늘을 향해 얼굴을 높게 들고, 짧은 날개를 쭉 펴고 있는 모습이 참 당당해 보인다. 그리고 이렇게 말하는 것 같다. '괜찮아! 힘내! 내가 응원하고 있어!' 아기 새의 발은 땅에 닿아있지만 이미 하늘을 날고 있는 것 같다. 우리도 오늘은 나를 응원해 보았으면 한다. 오늘도 한 뼘 더 자라고 있는 우리에게 응원의 박수를 보낸다.

멋진 미술 작품을 만들고 싶을 땐? 그림책 「손바닥 동물원」 이다요솔

나는 미술에 재능이 없지만, 미술에 욕심이 많은 선생님이다. 우리 반 교실을 아이들의 작품들로 아기자기하게 꾸미는 것은 나에게 정말 행복한 일인데, 그중 보는 것만으로도 행복하게 만드는 작품은 우리가 꾸민 '동물원'이다. 작품을 만드는 방법은 간단하다. '손바닥 동물원'이라는 그림책을 읽고, 손바닥에 물감을 발라 도화지에 찍어내기만 하면 된다. 그림책에는 손바닥으로 찍어낸 멋진 동물들과 사물들이 가득하다.

책을 읽을 때부터 "우와아, 나 이거 좋아해!", "이거 하고 싶어!"라고 말하며 설렘 가득한 아이들의 모습을 볼 수 있다. 우리 반에는 감각이 예민한 학생이 있는데, 먼저 붓으로 차가운 물을 발라주고 익숙해지면 색깔 물감을 묻혀준다. 그 촉감이 싫지만은 않은지 꺄르르 좋아하며 손바닥 도장을 찍는다. 서로의 손에 물감을 발라주는 모습을 보며 마음이 따뜻해지기도 하고, 아이들의 작은 손을 보며 "귀여워..."라는 말을 연발하기도 하고, '이렇게 해. 저렇게 해!'가 아닌 자유롭게 본인을 표현할 수 있도록 기회를 주는 나를 발견하며 뿌듯하기도 한 그런 수업이었다. 아이들이 그림책에 잠시 흥미를 잃었다면, 큰 노력 없이 즐거운 미술 수업을 하고 싶다면, 그림책 「손바닥 동물원」을 읽고 활동해 보는 것을 추천한다!

※ 준비물 : 엉망이 되어도 괜찮은 옷, 함께 정리하는 예쁜 태도

잔뜩 화가 나고 짜증이 날 땐? 그림책 「화가 호로록 풀리는 책」 오주영

"안 해!", "나한테 왜 그래!!" 쉬는 시간을 주고 업무를 보고 있으면 가끔 아이들의 짜증 섞인 목소리가 들린다. 어떤 이유인지 물어보면 이유가 있는 짜증도 있지만, 때로는 이유도 잘 모르는 짜증을 부리곤 한다. "어떻게 하면 화가 풀릴까?" 물어봐도 대답을 못하는 아이들. 그럴 땐 이 책을 슬그머니 꺼낸다. "우리 매트로 가서 책볼까?" 이 책을 펼치면 화가 잔뜩 난 주인공이 우리 아이들과 똑같은 표정을 하며 맞이해 준다.

평소엔 온갖 짜증을 내는 것이 우리 교실에선 허락되진 않지만, 이 책을 읽는 순간만큼은 다 괜찮다! 다 같이 소리를 크게 지르기도 하고, 다리를 세게 쿵쿵 구르기도 한다. 그렇게 책을 따라하며 읽다 보면 책의 마지막 장을 덮을 땐 어느새 스르르 화가 풀려있는 아이들을 볼 수 있다. 물론 나도 말이다!

※주의※ 이 책을 읽는 순간에만 모든 것을 허용해주기!! 평소에는 절대 안돼!!!

아무 것도 하기 싫을 땐? 그림책 「파리의 휴가」 이미화

고등학교에선 2학기를 시작하자마자 대입 준비로 정신없이 지내다가 수능이 끝남과 동시에 고 3은 대부분 자습 모드에 들어간다. 하지만 우리 반에서 자습을 하는 경우는 없다. 모든 학년이 같이 있기 때문이기도 하고 자습이 별 의미가 없다는 것을 알기에 수업은 계속된다. 진로가 정해진 3학년 학생은 더 이상 수업에 흥미가 없다. 통합반에서는 거의 수업을 하지 않으니 엎드려 자거나 휴대폰 게임만 하다가, 우리 반에서는 선생님이 두 눈을 부릅뜨고 자꾸만 '읽어라, 써라, 풀어라, 발표해라' 하니 영 싫은 눈치다. 이 아이의 마음은 다른 아이들에게도 옮겨가 다들 지하세계로 뚫고 들어갈 기세로 가라앉는다. 날씨까지 춥고 어둑어둑하다. 이런 날은 앞에 선 나도 수업하기가 싫어진다. 그 순간 책장에 꽂힌 「파리의 휴가」가 눈에 들어왔다. 바다로 휴가를 떠난 파리에게 닥친 엄청난 시련을 다룬 그림책이다. 처음엔 시큰둥하던 아이들이 마지막 반전 장면에서 상황을 이해하고는 웃음보가 터진다. 너무나 '웃픈' 파리의 휴가 덕분에 교실에 다시 활기가 돈다. 한바탕 웃고 나면 아이들 얼굴이 살아나고 올해를 무사히 마무리할 힘을 다시 얻는다.

학교 가기 싫을 땐? 그림책「블레즈씨에게 일어난 일」 김민지

요즘 학생들이 가장 많이 하는 말이다. "학교 가기 싫어요!" 이 대화의 끝은 잔소리와 침묵의 끄덕임이다. 이렇게 빤한 대화를 하게 될 때 꺼내는 건 역시나 그림책! 책장에서「블레즈 씨에게 일어난 일」을 비장하게 꺼내 들었다. 회사에 가는 동안 짜증과 걱정이 가득했던 블레즈 씨가 점점 곰으로 변하는 이야기다. 책을 격렬하게 읽은 뒤 "어떤 이야기야?"라는 질문에 학생들은 말한다.

"인간일 때는 회사에 집착했는데, 그렇게 팍팍하게 살았던 삶을 격려해주는 이야기요. 이제 곰이 돼서 2막을 살자!", "어느 날 갑자기 세상이 통째로 바뀔 수 있으니까 하루하루에 감사하자며 살자.". 인생의 답은 언제나 나에게 있다. 학생들도 답을 스스로 찾았다. 그리고 늘 그렇듯이 학교 오기 싫더라도 학교에 다닌 나를 격려하고, 하루하루에 감사하면서 사는 게 좋겠다는 잔소리와 끄덕임으로 대화를 마쳤다. 조금 다른 점이 있다면 침묵이 아니라 우렁찬 "네!"였다는 점이랄까.

자신감이 필요할 땐? 그림책「우리는 언제나 너를 믿어」 최수임

그림책「우리는 언제나 너를 믿어」의 표지에는 산봉우리에 올라가서 뿌듯하게 미소를 짓고 있는 아기염소와 그런 염소를 미소 지으며 지켜보는 엄마, 아빠 염소가 산봉우리 밑에 있다. 그림책에서 느껴지는 다정함은 그림책이 진행되는 내내 계속된다. 어른 동물들은 아기 동물들에게 따뜻한 표정으로 각자의 믿음을 이야기 해준다. '믿는다'라는 말은 아이들에게 신기하게 안 하던 일, 못하던 일을 할 수 있게 만드는 말이다. 특히 선생님의 따뜻한 믿음과 지지가 필요했던 아이에게는 결심하고 시도하는데 정말 큰 영향을 준다. 누군가가 나를 믿어주고 내가 나를 믿는 일은 '한 번 해볼까?'라는 마음을 갖게 만들고 그렇게 시도한 작은 성취가 하나하나 모여서 결국 산봉우리 위에 올라간 아기염소처럼 뿌듯한 표정을 지을 수 있게 된다. 유난히 자신감이 없어지는 날, 새로운 시도와 도전을 하는 것을 고민하고 망설이는 우리 반 아이에게 그리고 나에게 읽어주고 싶은 책이다.

사랑하는 아이들과 아쉬운 마음으로 헤어져야 할 땐?
그림책 「한 사람」

정미숙

울긋불긋 화려하던 나뭇잎들이 떨어지고, 앙상한 가지만 남은 나무들이 눈에 들어오는 계절이다. 문득 졸업이 다가왔음을 느낀다. 올해는 우리 반 학생 중 2명이 졸업한다. 졸업생인 이쁨양과 귀욤군과는 정이 담뿍 들었다. 정서적인 어려움으로 국어, 수학 이외의 많은 시간을 특수학급에서 함께 보내며 속 깊은 이야기들이 수없이 오간 아이들이라서 그럴까? 작년과 달리 올해는 벌써부터 마음 한구석에 아쉬움이 한가득 들어찼다.

수업 중에 문득 아이들과 헤어지기 전에 꼭 해주고 싶은 이야기들이 생각났다. 그래서 슬며시 교과서를 덮고 그림책을 꺼내 들었다. 학기 말 분위기로 공부하기 싫던 아이들도 선생님이 교과서를 덮고 그림책을 꺼내 드니 좋아한다. 한 장씩 목소리로 문장을 꼭꼭 눌러 담으며 아이들 마음에 슬며시 넣어 준다.

"

있잖아~ 그거 아니? 너희들이 말이야…
중학교에 가서 새로운 친구들을 만나고,
낯선 환경에서 혹시라도 혼자인 것 같이 외로운 순간이 오면 기억해줄래?
선생님은 누구 편?
나!!
그래, 맞아~. 선생님은 우리 OO이의 '한 사람'이야.

"

사랑하는 아이들과 아쉬운 마음으로 헤어져야 하는 순간, 아이들에게 마음 따뜻해지는 핫팩 하나씩 넣어 주고 싶은 순간에 그림책 「한 사람」을 추천한다.

지그재그가 함께 쓴 원고

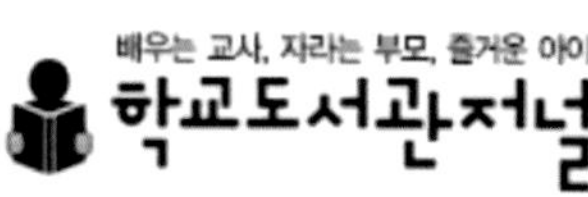

색다른 모두의 그림책 교실

학교도서관저널 2023년 10월호 (통권 137호)

누구나 배움의 과정은 같다 속도가 다를 뿐

특수학급은 그야말로 '다인다색(多人多色)'이다. 발화가 어려운 학생부터 인지적 손상이 없는 학생까지. (중략) 고등학교 특수학급에서 선택 중심 교육과정의 성취기준을 활용해 학급 교육과정을 만드는 과정은 자갈밭에서 자갈로 퍼즐을 맞추는 것과 비슷하지 않을까. (중략) 여전한 고민 속에서 내가 찾아낸 하나의 방법은 그림책을 이용한 교육과정 재구성이다. 그림책을 활용하는 이유는 그림책을 함께 읽으면 해석의 여지가 많아 다양한 수준과 학년을 아우를 수 있기 때문이다.

학교도서관저널 2023년 11월호 (통권 138호)

너와 나의 마음을 위로하고 싶어!

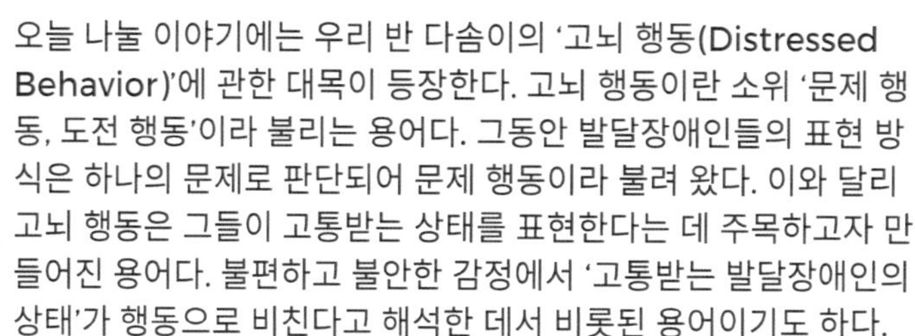

오늘 나눌 이야기에는 우리 반 다솜이의 '고뇌 행동(Distressed Behavior)'에 관한 대목이 등장한다. 고뇌 행동이란 소위 '문제 행동, 도전 행동'이라 불리는 용어다. 그동안 발달장애인들의 표현 방식은 하나의 문제로 판단되어 문제 행동이라 불려 왔다. 이와 달리 고뇌 행동은 그들이 고통받는 상태를 표현한다는 데 주목하고자 만들어진 용어다. 불편하고 불안한 감정에서 '고통받는 발달장애인의 상태'가 행동으로 비친다고 해석한 데서 비롯된 용어이기도 하다.

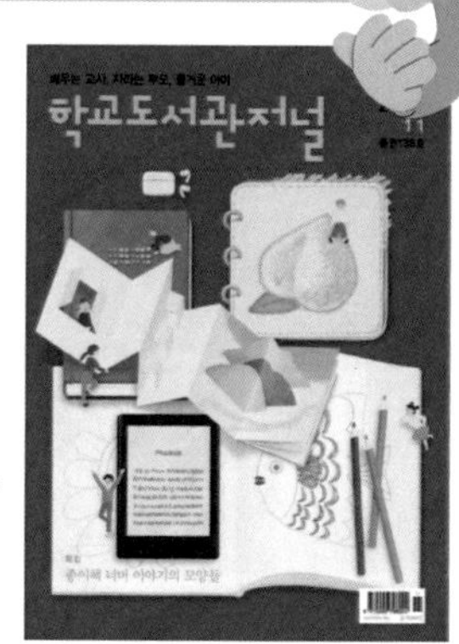

학교도서관저널 2023년 12월호 (통권 139호)

서로 마음이 엇갈리지 않고 마주치도록

그림책 수업을 시작한 계기는 간단하다. 하나부터 열까지 다른 우리 반 아이들을 하나로 모을 중심점이 필요했기 때문이다. 임용 후 첫 발령을 받은 해, 우리 교실에는 1학년부터 6학년까지 성격과 상황 등 모든 게 다른 학생들이 모였다. (중략) "이 학생들과 어떤 수업을 해야 할까?"가 아닌 "이 학생들을 데리고 수업을 할 수 있을까?" 고민했다. 그러던 중 교사 공동체 지그재그에 함께하게 되었고, 자연스럽게 그림책의 세계에 빠졌다.

innig

이니히 : 진심으로

교육과정 유닛 CU

박현경, 김진경, 신현경, 이희경, 전혜지,
김민지, 이다요솔, 이다정, 이미화

조금 더 깊이 있게 수업을 바라보다.

박현경

많은 교사들이 크고 작은 결심으로 단단해져야 했던 이번 여름. 우리는 무더운 여름 서울 한복판에서 만났다. 그곳에서 우리는 다시금 우리의 본질인 수업을 이야기했다. 올해가 시작할 때 함께 읽었던 「수업성장」의 저자이신 김현섭 선생님을 모셨다. 김현섭 선생님과 교사로서 각 개인의 욕구를 확인하고, 각자의 욕구를 이해한 채 수업 영상을 함께 보며 "수업 나눔 시나리오"대로 수업 나눔을 하는 연습을 했다. 1년 반 동안 해오던 수업 나눔이었지만 수업자에게 도움이 될 만한 수업질문을 하는 것이 쉽지 않았다. 수업자의 입장과 학생의 입장에서 궁금한 것들을 찾는 것도 수업을 깊이 이해하는 능력이라는 것을 배웠다. 우리는 9월 스터디부터 수업 나눔 시나리오를 재정비하여 스터디하고 있다. 아래 도식은 우리의 수업 나눔 흐름도이다.

대략 한 명의 수업자의 수업을 함께 보기 위해 80분~90분의 시간이 필요하다. 먼저 수업 친구들이 수업자의 수업을 어떻게 바라봐야 하는지 관점을 소개한다. 이후 수업자는 공동체 구성원에게 사전에 공유했던 수업 안내 자료를 활용해 자신의 수업을 발표한다. 공동체 구성원들은 소그룹으로 나뉘어, 수업자의 장점이 무엇인지, 수업자 관점에서 궁금한 것은 무엇인지, 학생 입장에서 궁금한 것은 무엇인지 함께 나눈다. 다시 한 공간에 모인 구성원들은 각자의 언어로 수업자의 장점을 진하게 축하하는 시간을 갖는다. 이후 소그룹에서 나눈 질문을 주고받으며 수업자 스스로 수업을 성찰할 수 있도록 돕는다. 수업에 대한 질문은 수업을 한 당사자뿐만 아니라 다른 참여자들에게도 도전이 되기도 하고, 피드백이 되기도 한다. 마지막으로 수업자가 당면한 고민에서 함께 머물며 수업자의 각자의 경험을 들려주거나 해결책을 제시한다. 지금부터는 우리 씨유가 함께한 수업 나눔 과정의 생생한 이야기를 소개하겠다.

7월 "뜨거운 여름" 수업 주인공과 수업 친구들

안녕하세요. 7월 수업 친구의 수업을 소개해 주세요!

안녕하세요! 7월 이희경 선생님의 수업 친구 전혜지입니다.
수업을 소개하기에 앞서, 짧은 시간이었지만 수업 친구로 함께 하며 아이들의 성장에 기뻐하고 고민했던 감동과 여운이 다시금 느껴집니다. 무더운 여름, 방학을 앞둔 아이들의 7월을 멋지게 장식해주신 희경 선생님의 수업은 '뜨거운 여름'을 주제로 한 체험과 경험이 어우러진 다채로운 국어 수업입니다. 수업 속에는 여름에 먹는 음식, 수박 장수 노래 부르며 수박 밭 만들기, 여름을 시원하게 보내는 여러 가지 방법 등의 직접적인 체험과 아이들의 언어를 통한 경험이 듬뿍 담겨 있습니다. 모든 수업에서 아이들에게 충분한 표현의 기회가 제공되어 아이들은 각자의 느낌과 경험을 앞으로 나아가듯, 조금씩 조금씩 표현해 나간답니다.

구체적으로 어떤 수업을 하셨는지 소개해주실 수 있을까요?

저는 초등학교 1,2학년들과 함께 월별로 그림책 읽기와 연결된 프로젝트 수업을 하고 있습니다. 제가 수업을 공개했던 7월은 7, 8월을 함께 묶어 '뜨거운 여름'이라는 주제로 여름 날씨, 여름 음식, 여름의 생활 등과 관련된 그림책을 읽고 시원한 여름 음식을 나누어 먹는 프로젝트 활동과 개학 후 다시 만난 친구들과 여름 이야기를 나누는 프로젝트 활동을 계획했던 달에 속해 있었습니다.
수업 계획 시 고려했어야 했던 것은 첫 번째, 6월에 학습했던 주제인 '채소와 과일'과 연계한 수업을 계획하고 실행하는 것, 두 번째, 1학기의 마무리와 2학기의 시작을 함께 계획하여 수업으로 실행하는 것, 세 번째, 본격적인 여름을 맞아 건강하고 시원한 여름을 보내는 방법과 여름의 여가생활을 친구들과 함께 경험하는 것, 네 번째, 여름방학 이후, 여름을 보낸 이야기를 함께 나누며 서로의 경험을 확장하고 공통의 경험을 제공하는 것이었습니다.
이런 수업의 의도에 따라 수업 친구 선생님들과 확정한 수업은 총15차시(8월까지)로 국어 시간과 반 학생들이 함께 오는 수업 시간에 이루어졌고, 각 차시의 대략적인 내용은 다음과 같아요. 여름에 먹는 시원한 음식(2차시), 수박을 길러요(3차시, 수박이 자라는 과정 노래와 만들기로 표현하기), 우리들의 여름휴가(3차시, 여름을 시원하게 보내는 여러가지 방법 경험하기), 다시 만난 우리(2차시, 여름방학 때 놀았던 모습 사진으로 콜라주 만들기), 세상에서 제일 맛있는 팥빙수(3차시), 우리가 보낸 여름(2차시, 협동 시 짓기)으로 국어 수업이지만 직접적인 체험과 경험을 중시했기에 통합교과의 수업모형으로 수업했습니다.

수업 주인공 선생님은 수업 계획에서
수업 친구가 있어서 변화된 내용이나 방법이 있으신가요?

많은 변화가 있었죠. 혼자 계획하고 실행했더라면 이렇게 많은 수정은 이루어지지 않았을 거예요. 수정은 늘 있는 일이지만 이렇게까지는... ㅎㅎ;. 변화되지 않은 것을 말하는 것이 더 간단하겠네요. 변화되지 않은 것은 주제와 '수업 의도'였습니다. 저희 반 학생들이 배웠으면 하는 것의 목표가 뚜렷했기에 주제와 수업 의도는 변하지 않았지만 그 목표로 다가가는 모든 방법적인 것은 다 달라졌습니다. 차시는 늘리고 내용은 줄이고 방법은 다양화 했어요. 구체적인 내용은 아래와 같습니다.

1. 성취기준의 수의 변화: 2개의 핵심 성취기준에서 1개의 핵심 성취기준으로 줄임

2. 성취기준 축소에 따른 세분화된 평가준거 성취수준(평가초점) 조정

3. 프로젝트 활동의 추가: 시원한 여름 음식을 나누어 먹어요 + 시원한 여름을 보내는 방법을 함께 경험해요

4. 활용매체 축소: 그림책은 5권에서 2권으로, 동시 1편, 전래 노래 1편

매주 반복된 회의와 수정을 거쳐 학습 내용의 구조화-학습량의 적정화-학습의 질 개선을 이루었다고 봅니다.

수업 친구의 입장에서 수업 주인공의 수업에서
인상 깊었던 부분이 있으신가요?

사실 매 차시 수업을 보며 배우고 느낀 점이 많아서 모든 장면들이 머릿속에 스쳐 지나갑니다. 그 중에서도 **가장 기억에 남는 것은 선생님의 따뜻한 기다림과 포용이었습니다.** 수업 친구를 하다보면 수업 주인공 선생님 반의 아이들을 마치 저희 반 아이들을 보는 것처럼 아주 유심히 살펴보게 됩니다. 그렇게 수업 속에서 아이들의 작은 말과 몸짓, 시선을 따라가다 보니 그 모든 것들을 아이들의 의미 있는 표현으로 확장시켜주시고 기다려주시는 선생님의 모습이 보였습니다. 아이들이 직접 만지고, 느끼며 체험하는 것을 경험해보는 것에서 그치는 것이 아니라 아이들의 삶을 연결할 수 있는 발문과 반응으로 배움의 폭을 넓혀주시는 모습에서 저도 많은 배움을 얻었답니다. 차시를 거듭할 때마다 자신이 겪었던 일과 관련지어 신나게 이야기하는 아이, 낯설었던 것들에 경계를 풀고 점차 관심을 보이며 익숙해하는 아이의 모습이 떠올라서 그 때 선생님과 나눔을 하며 함께 감동하고 기뻐했던 기억이 납니다. 7월의 수업 나눔이 끝난 이후에도 선생님께서 계획하신 수업은 개학 후 8월까지 이어지는 수업이었기 때문에 저희는 여름방학을 신나게 보낸 아이들의 근황과 성장을 또 나누었습니다. 선생님께서 고민과 노력, 그리고 학교에서의 배움과 자신의 삶을 연결하고 있는 아이들의 모습을 보니 선생님과 아이들이 함께 빛나고 있다는 생각이 들었습니다.

수업 주인공은 수업 친구와 수업을 함께 계획 하며
무엇을 얻으셨나요?

수업 친구들과 함께하는 한 달 동안 얻게 된 것을 크게 두 가지로 나누어 본다면 첫 번째는 앞서 답한 것처럼 변화된 부분에 대한 것입니다. **교사로서 가르침에 대한 전문성, 만들어가는 교육과정을 제대로 경험했다는 것이 가장 큰 배움입니다. 그리고 두 번째는 '함께함'을 통해 동료를 얻었습니다.** 그 동료는 저의 동료일 뿐만 아니라 저희 반 아이들의 든든한 동료이자 지지자가 되어 주었답니다. 총 5~6번의 만남 동안 1학기 전반의 교육과정과 7월 교육과정을 소개하며 제가 하고 싶은 수업, 고민되는 지점 등에 대해 이야기를 나눈 것을 시작으로 적절한 해결방안과 목표를 잃지 않고 나아가야 할 방향을 함께 찾았고 학생의 전반적인 특성에 비추어 수업계획(교육과정)을 함께 확정했습니다. 그리고 매주 이루어진 수업 영상을 보며 피드백을 주셨고 그 피드백을 참고하여 다음 주 수업계획을 또 변경했습니다. 이런 '함께함'의 과정을 통해 수업 친구 선생님들은 제가 미처 보지 못한 아이들의 배움을 봐주셨는데 그 배움의 의미와 가치를 나누며 기뻐해 주셔서, 지지받은 힘으로 다시 아이들 앞에 설 수 있도록 용기를 받았습니다.

수업 친구 역할을 하며 선생님이 얻은 성장은 무엇인가요?

한 달간 수업 친구 역할을 하며 그동안의 저의 수업을 돌아보고 성찰하는 시간을 가질 수 있었습니다. 선생님께서는 매 차시 수업에 대한 성찰과 평가를 기록 하셨습니다. 그래서 선생님께서 세우신 교육의 목표와 계획 그리고 평가와 기록이 명확하여 저희는 방향을 잃지 않고 아이들에게 필요한 것들에 더 집중할 수 있었습니다. 그동안 머릿속으로, 이론적으로만 생각했던 '좋은 수업'이란 바로 이 모든 과정의 집합이 아닐까 생각합니다. **중심이 흔들리지 않는 수업, 그리고 수업자의 성찰로써 더 나은 수업을 만듦으로써 교사와 학생 모두가 조금씩 함께 성장하는 수업을 보며 저의 일상 수업을 돌아보는 계기가 되었습니다.** 또 학생의 표현들을 한 줄, 한 줄 의미 있는 표현으로 엮어주시는 모습이 아이들뿐만 아니라 특수교사로서의 저에게도 성장의 줄기가 되었습니다.

11월 생태시민역량 수업 주인공과 수업 친구들

안녕하세요. 11월 수업 친구의 수업을 소개해 주세요!

안녕하세요? 11월 수업친구로서 함께한 수업 주인공 선생님의 11월 수업을 소개합니다. 11월 수업 주인공 진경샘은 1년 동안 아이들이 생태시민 역량을 함양하기 위해 아이들과 꾸준히 환경동화책을 읽으셨어요. 이와 관련하여 이번 달에는 분리배출을 주제로 국어, 사회 과목을 중심으로 수업을 구성하였답니다.
그림책과 연계하여 아이들이 분리배출의 종류와 방법을 알아보고 놀이를 통해, 실제 경험을 통해 익혀보았어요. 또 생활 주변의 글을 읽고 쓰레기를 바르게 버리는 방법, 분리배출을 제대로 하지 않는 부분, 해야 하는 부분도 익혀보는 수업이 진행되었답니다!

구체적으로 어떤 수업을 하셨는지 소개해주실 수 있을까요?

'생태감수성 기르기'를 연간 목표로 삼고, 꾸준히 생태·환경 관련 그림책을 읽어왔습니다.
수업 나눔을 했던 11월에는 그림책 「쓰레기 귀신이 나타났다!」를 읽으며 '분리배출'에 대해 배우고 실천해보고자 하였습니다.
국어와 사회 과목을 연계하여 총 9차시 수업을 계획하였습니다. 학급 학생들은 꾸준히 읽어왔던 그림책들 덕분에 분리배출이라는 용어를 여러 번 접한 상황이었습니다. 11월에는 분리배출 관련 정보가 담긴 글을 읽고, 유리, 플라스틱, 종이, 캔을 분류하는 것에서부터 실천을 시작하였습니다. 그리고 각각을 바르게 분리배출하는 방법을 익히고 가정과 연계하여 반복적으로 실천할 수 있도록 하였습니다.

수업 주인공 선생님은 수업 계획에서
수업 친구가 있어서 변화된 내용이나 방법이 있으신가요?

첫 번째, 교과목 수와 내용을 줄였습니다. 처음 수업을 계획했을 때는 11월 한 달을 알차게 수업하고 싶다는 마음과 개별화교육계획의 과목들을 연결해보고 싶다는 마음에 3과목의 수업으로 계획을 하였습니다. 수업친구 선생님들과 이야기 하는 과정에서 수업의 전체 연계성과 흐름에 대한 이야기를 나누게 되었고, 결국 교과목 수를 국어, 사회 두 과목으로 줄이고 '분리배출'이라는 주제에 알맞게 내용도 줄이는 수정 과정을 거쳤습니다.
두 번째, 수업친구 선생님들과 피드백 하는 과정에서 차시별 수업이 촘촘히 연결되

는 경험을 하게 되었습니다. 학생이 흥미를 보이는 활동은 추가하고, 방해가 되는 요소는 제거하니 수업에 대한 막연한 두려움이 사라지고, '이 수업하면 아이들이 좋아하겠다.'라는 생각이 들었습니다.

세 번째, 선생님들과 머리를 맞대어 고민하며 혼자만 수업을 계획했다면 생각하지 못했을 활동과 다양한 생각들을 하게 된 것이 가장 큰 변화입니다. 선생님들의 이야기를 들으며 '수업친구 선생님 말처럼 나도 저렇게 해볼까?'하며 도전을 받기도 하고, 함께 '수업에 대해 이야기 할 수 있는 **친구가 있어 참 좋다.**'는 생각도 했습니다.

수업 친구의 입장에서 수업 주인공의 수업에서
인상 깊었던 부분이 있으신가요?

수업 친구 입장에서 조금 더 집중해서 바라보니 수업과 수업 주인공 선생님의 강점을 더 가까이, 깊게 느낄 수 있었던 부분이 있었습니다. 저 같은 경우는 아무리 웃으며 말하더라도 명령형, 지시형인 경우가 많은데, 시작할 때 ~~용용~~학생에게 "저기에 앉아."가 아니라 선생님이 "혹시 저 자리에 앉을 수 있어?" 물어보신 것, "누구는 어떻게 생각해?", "무엇일 것 같아?" 등 지치실 수도 있는데 **끊임없이 질문하고 아이들의 반응을 이끌어 내시고 생각을 들으려 하시는 것과 학생들에게도 일관성 있게 배려하며 말하고 존중을 기반으로 행동하는 모습**이 참 기억에 남습니다. 또 일관성 있고 공평하게 대하시는 모습을 보며 '아, 선생님이 정말 수업에 자신의 장점을 이렇게 녹이고 계시는구나. 이런 장점이 정말 돋보이시는 구나.'라고 생각했었답니다! 수업 중간 중간, 그 한차시의 수업 목표라고 확실히 말할 수는 없을지라도 전체적인 흐름 안에서 보았을 때 이제까지 생태환경교육을 꾸준히 받아온 우리 친구들의 습관이 된 작은 행동들, 엉뚱한 질문들 모두 참 의미 깊었다고 생각이 들었답니다!

수업 주인공은 수업 친구와 수업을 함께 계획 하며
무엇을 얻으셨나요?

수업친구와 함께 수업을 준비하고, 수업을 나누며 앞으로 나아갈 힘을 얻었습니다. 2학기에 참 많은 일들이 있어 쉽지 않은 학기를 보냈습니다. 그럼에도 수업의 끈을 놓지 않도록 함께 걷고, 때로는 '괜찮아. 조금 쉬었다 가지 뭐.'라며 가만히 곁에 앉아 이어주는 친구처럼... 수업친구 선생님들이 제 곁에 계셔주셨습니다. 함께하니 힘을 낼 수 있었고, 계획조차 엉성했던 저의 수업을 선생님과의 대화를 통해 다져갔습니다. 나 혼자였다면 흐트러질 수 있었던 방향이 양쪽에서 함께해주는 두 분의 선생님들로 다시 연간 목표, 학기 목표, 성취기준 등을 살펴보며 방향을 잡아갈 수 있었습니다. 그리고 **수업을 나눈 후 부족함을 느끼기보다 "그럼에도 해냈다!"라는 마음이 들어 뿌듯하고 기뻤습니다.** 무엇보다.. 자세히 보지 않으면 몰랐을 나의 예쁜 학생들의 모습도 보였습니다. 혼자였다면 놓치거나 지나쳤을 수도 있는 순간들을 수업친구 선생님들께서 채워주셔서 성장의 기쁨을 맛보았던 것 같습니다.

수업 친구 역할을 하며 선생님이 얻은 성장은 무엇인가요?

수업 주인공일 때와는 또 다른 느낌을 받을 수 있었습니다. 수업 주인공 선생님의 학급 환경을 진심으로 이해하고 싶은 마음을 자연스럽게 가질 수 있었어요. 선생님의 아이들이 꼭 나의 아이들 같았고, 부족하지만 도움을 주고 싶은, 진심으로 함께 하고 싶은 마음을 가질 수 있었어요. '이 아이는 어떤 것에 강점을 가지고 있구나.', '이런 방식으로 잘하는 구나.', '이런 방법도 적용해 보면 좋겠다.', '이 부분에서 배움이 있었구나.', '이 아이가 빛났구나.' 느낄 수 있었습니다.
무엇보다 소중한 동료 교사로서 선생님을 진심으로 응원할 수 있었답니다. '선생님께서 이런 강점이 있으시구나.', '상황이 힘들어도 정말 노력하시는 구나.', '내가 부족하지만 도움이 되었으면 좋겠다.'라는 생각으로 함께 할 수 있었습니다! **선생님을 응원하면서 동시에 함께하는 제 자신을 응원할 수도 있었던 것 같아요. 연대의 의미를 마음으로 깨닫는 경험이었습니다!**

#단단한 뿌리를 뻗다.

2023년, 씨유는 기존 구성원에 더 해 4명의 새로운 가족이 생겨 14명이 함께하는 거대 유닛이 되었다. 기존 구성원과 신규 구성원의 조화를 위해 우리는 신규 구성원을 대상으로 1년간 이론팀을 운영하기로 했다. 이론팀은 올해 말에 있을 수업 나눔을 목적지 삼아 매월 그동안 씨유가 공부했던 여러 교육과정 관련 자료들을 보며 스터디했다. 이때 실전팀은 이론팀을 지원사격하기 위하여 매월 1명 이상이 이론팀 스터디에 함께 참여했다. 또한 이론팀 구성원들은 연 1회 이상 실전팀 수업 나눔 스터디에도 추가로 참여하며 수업 나눔 스터디를 맛봤다. 이론팀은 지난 1년간 교육과정과 수업이라는 단단한 뿌리를 내리는 과정을 겪었다. 이론팀의 성장을 소개하겠다.

학생들을 교실에서 마주하면서 저에게 계속 던진 질문이 있습니다. '이토록 색색깔의 학생들을 한데 묶는 교육과정을 어떻게 만들지? 교육과정을 만들 때의 고민을 어떻게 온전히 수업에 녹이지?' 이러한 질문들에 답을 찾고 싶어서 선생님들과 함께 책을 읽었고 많은 시간을 보냈습니다. 생각보다 어렵고, 답보다 질문을 더 많이 남겨두고 끝난 스터디였지만, 오랜만에 이론서를 뒤적이고 이론과 현장을 이어보는 많은 과정들이 저를 성장시켰습니다.

11월, 선생님들과 첫 수업 나눔을 해야 한다는 소식은 불안과 부담, 나의 것을 그대로 내보여야 한다는 두려움이 가장 먼저 들었습니다. 그러나 4인 4색. 이론팀 선생님들 모두 다양한 색깔의 가치관과 수업관이 있음을 알기에 수업친구의 격려와 질문, 조언은 제 교육과정과 수업을 더 탄탄하게 만들기 충분했습니다. 준비한 수업을 하고, 선생님들께 발표하는 그 순간은 기대와 즐거움이 가득했습니다. 함께 고민하고 나눈 시간 동안 쌓인 것들이 얼만큼인지 꺼내 보는 시간이 될 거라는 마음 때문이었습니다.

수업나눔에서 나눈 성찰과 피드백은 혼자이고 당사자였기 때문에 알지 못했던 것을 깨닫게 해주었습니다. 나의 습관, 언어, 나의 수업 방식, 우리 학급의 분위기, 학생들의 태도, 생각, 반응 등… 수업을 보여주고 나누는 시간은 '나'를 되돌아보고 찾아가는 시간이 되었습니다.

이론 공부를 하며 읽었던 책인 「가르칠 수 있는 용기」에서 가장 인상 깊었던 문장이 있습니다. "인간의 영혼은 해결을 바라는 것이 아니라 자신의 모습을 드러내고 자신의 말을 하고자 한다." **빠르게 해결하고 답을 찾고 싶은 마음에 늘 조급해했지만 결국 나를 제대로 알고 나의 말을 해야 하는 게 아니었을까.** 이 사실을 깨닫게 함께 해주신 선생님들께 참 감사합니다.

1년, 이 짧은 시간 동안 제 질문은 모두의 질문이 되었습니다. 그리고 새로운 질문들로 바뀌어 나갔습니다. '이토록 색색깔의 학생들과 나의 색을 조화롭게 할 교육과정은 또 어떤 게 있을까? 이 수업에 녹이고자 했던 것은 잘 드러났나? 학생이 얻어간 배움은 또 어떻게 확장시킬 수 있을까?' 이 질문의 답을 앞으로도 선생님들과 함께 찾아 나가며 새롭게 만들 우리의 교실이 무척 기대됩니다.

김민지 선생님

저는 올해로 4년 차 초등특수교사입니다. 첫 발령을 일반학교의 특수학급으로 받았고, 제 교실 이야기를 나눌 옆 반 선생님도 안 계셨습니다. 대학교에서 공부한 내용들을 현장에서 연결 짓는 과정이 녹록지 않았고, 제대로 된 교육과정을 펼치지 못한다는 죄책감이 저를 불편하게 했습니다. 이런 마음의 짐들을 조금 내려놓고자 씨유에 들어왔습니다. 시간을 들여 공부하고, 선생님들과 함께 이야기를 나누며 발견한 것을 소개하고자 합니다.

첫 번째로 저는 여러 가지 책을 통하여 '나'에 대해 알아가는 시간을 보냈습니다. 잘 가르치기 위해 읽은 책들인데, '나'에 대해 알아갈 수 있다는 것이 신기했습니다. 내가 만들고 싶은 교실, 내가 아이들에게 꼭 가르치고 싶은 것들을 고민할 때마다 미처 발견하지 못했던 제 가치관들이 선명하게 드러났습니다. 전달되어야 할 지식 속에 내가 받은 사랑이 우리 반 학생들에게 잘 전달될 수 있도록, 내가 받은 상처들이 우리 반 학생들에게 전달되지 않도록 선생님들과 함께 이야기하며 점점 '나'를 객관화할 수 있어 좋았습니다.

두 번째로 중고등학교 특수 선생님들의 이야기를 들을 수 있어서 좋았습니다. 선생님들의 이야기를 듣는 시간은 지금 내가 가르치고 있는 것들이 절대 헛되지 않음을 증명하는 시간이었고, 위로와 격려의 시간이었습니다. 또한 아이들의 소중한 시간을 함께하고 있음에 감사하며, 조금 더 책임감을 가져야겠다는 다짐도 하였습니다.

지금까지 입으로는 '나 진짜 부족한 교사야.'라고 말했지만, 속으로는 '그래도 내 수업이 80점 정도는 되지 않을까?'라고 생각했던 것 같습니다. 이제는 제 수업이 80점이 되지 않는다는 것을 알고 있습니다. 하지만 그다지 슬프지도 힘들지도 않습니다. 그리고 우리 반 학생들에게 미안하지 않습니다. **저는 치열하게 노력하는 우리를 응원하고, 배움과 성장이 즐겁고, 선생님들과 나눌 수 있음이 감사하고, 내년 제 교실이 기대됩니다.** 이것이 1년 동안 내린 저의 뿌리입니다.

함께였기에 꿈같은 일들이 가능했습니다. 매해 경력은 쌓여가지만 오히려 수업에 대한 자신감은 항상 제자리걸음 같았습니다. 수업을 통해 아이들의 삶과 맞닿은 가득 찬 배움이 일어나길 늘 기대하지만, 학교는 그런 저를 기다려주지 않았습니다. 쌓여있는 업무와 끝없는 학생 지도를 하다 보면 매일의, 매시간의 수업이 그렇게 벅찰 수가 없었습니다. 매해 교육과정을 찬찬히 살펴보면서 아이들에게 필요한 교육과정을 짜야겠다는 마음은 먹지만, 정작 어디서부터 어떻게 시작해야하는지 막막했습니다. 게다가 재구성한 교육과정에서 실제 아이들에게 의미 있었는지 확신이 없었기에 외면했던 것 같습니다. 혼자였다면 매해 반복되었을 일들이 씨유에서 교육과정을 '함께' 공부하면서 조금씩 변하기 시작했습니다. 교육과정에 대해 씨유 샘들과 차근차근 함께 공부하면서 교육과정을 보는 문해력을 길러 나갈 수 있었습니다. **낯선 단어들이 조금씩 익숙해지고, 교육과정을 재구성 할 수 있는 힘을 얻었습니다.** 그뿐만이 아니라 스터디를 하면서 수업 속 고민들과 꼭꼭 숨기고 싶었던 민낯들을 공유하면서 따뜻한 조언과 격려를 나누었습니다. 선생님들과 스터디를 하고, 생각을 나누는 시간만으로도 다가올 수업들을 끌고 갈 힘이 생기는 것 같았습니다. 여전히 학교는 바쁘고 저를 기다려줄 여유는 없지만, 이전보다는 흔들리지 않고, 나를 믿고, 교육과정을 믿는 단단한 힘이 생겼습니다.

이다정 선생님

'지식'이 있어야 제대로 '기능'할 수 있다.

가장 처음 함께 읽었던 「교육과정의 이해」에 나오는 이야기입니다. 이 문장을 읽는 순간 내가 등한시했던 것이 무엇인지 깨달았습니다. 기본과 공통, 고등학교에서는 선택 교육과정까지 양이 너무 많아서 혼자서는 절대 할 수 없다는 핑계로 열어보지도 않고 구석에 미뤄두었었습니다. 그것도 아주 오랜 시간을 말이죠. 하지만 교육과정을 열어보지 않은 것은 방대한 양 때문이 아니라, '교육과정'에 대한 기본적인 지식이 없기 때문이었습니다. 이 사실을 깨닫고 나니 내가 올 한 해 숙제처럼 읽어야 할 책들이 왜 필요한지 이해되었습니다. 이론 공부에 한없이 게을러지는 순간마다 숙제처럼 주어지는 질문들과 여러 선생님과의 나눔이 나를 버티게 해주었습니다. 미처 눈여겨보지 못했던 내용을 짚어주기도 하고, 이해하지 못했던 부분을 다시 재해석해 주기도 하고, 현장에서는 어떻게 적용될 수 있는지 알려주는 선생님들 덕분에 눈과 귀가 절로 열렸습니다. 마지막 책으로 「가르칠 수 있는 용기」를 읽고 내 수업의 부끄러운 민낯까지 마주했습니다. 아직은 교사로서 내가 어떤 자아정체성을 갖고 있는지 알 수 없어서 수업을 보기가 두려웠습니다. 하지만 이 또한 함께 보고 나눔을 하고 나니, 나를 바라볼 수 있는 작은 용기가 생겨났습니다. '지식'이 내 안에 **단단한 뿌리를 내리고 푸른 잎이 무성한 가지가 뻗어 나가서 '나'라는 나무가 제대로 '기능'할 수 있도록, 씨유에서 함께 하는 경험과 나눔이 좋은 토양이 되어 주었습니다.**

이미화 선생님

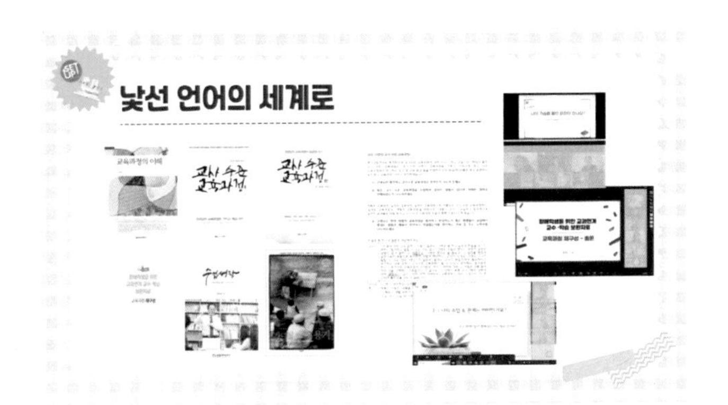

디자인 편집 Canva

특수교사, 특수교육을 사유하다
NO. 2(제 2권)

지은이 특수교육연구회 셋업
엮은이 셋블리쉬

발행 2024년 01월 15일
펴낸이 한건희
펴낸곳 주식회사 부크크
출판사등록 2014.07.15.(제2014-16호)
주소 서울특별시 금천구 가산디지털1로 19, SK트윈타워 A동 305호
전화 1670-8316
이메일 info@bookk.co.kr

ISBN 979-11-410-6601-7

www.bookk.co.kr

특수교육연구회 셋업의 웹진 프로젝트
<MAGAZINE 특·특·사>는
셋업과 각 유닛의 활동을 기록하고 공유하고자 시작합니다.

셋업 안에서 함께 배우고, 나누고, 성장하는 우리의 이야기가
서로에게 생각의 전환을 가져다주는 반성의 거울이 되길,
나아가 당신께 닿는 작은 목소리가 되길 기대합니다.

MAGAZINE 특·특·사

특수교사,
특수교육을 사유하다

No. 3

2024 SUMMER

특수교육연구회 셋업 지음